A ARTE DE
LIDERAR
NA IGREJA

Pe. ROMÃO MARTINS • WELLINGTON MOREIRA

A ARTE DE LIDERAR NA IGREJA

EDITORA
SANTUÁRIO

DIREÇÃO EDITORIAL:	Pe. Fábio Evaristo R. Silva, C.Ss.R.
CONSELHO EDITORIAL:	Pe. Ferdinando Mancilio, C.Ss.R.
	Pe. Marlos Aurélio, C.Ss.R.
	Pe. Mauro Vilela, C.Ss.R.
	Pe. Victor Hugo Lapenta, C.Ss.R.
	Avelino Grassi
COORDENAÇÃO EDITORIAL:	Ana Lúcia de Castro Leite
REVISÃO:	Aluysio Fávaro
	Ana Lúcia de Castro Leite
DIAGRAMAÇÃO:	Mauricio Pereira
CAPA:	Eduardo Bibiano
ILUSTRAÇÕES:	Carlos Eduardo Moreira
	Ronaldo Braz
FOTOS:	Claudio Nonaca

Dados Internacionais de Catalogação na Publicação (CIP)
(Câmara Brasileira do Livro, SP, Brasil)

Martins, Romão
  A arte de liderar na Igreja / Romão Martins, Wellington Moreira. – Aparecida, SP: Editora Santuário, 2017.

  ISBN 978-85-369-0498-6

  1. Liderança comunitária 2. Liderança cristã 3. Teologia pastoral – Igreja Católica I. Moreira, Wellington. II. Título.

17-04304 CDD-253

Índices para catálogo sistemático:

1. Liderança cristã: Teologia pastoral: Cristianismo 253

4ª impressão

Todos os direitos reservados à **EDITORA SANTUÁRIO** – 2022

Rua Pe. Claro Monteiro, 342 – 12570-000 – Aparecida-SP
Tel.: 12 3104-2000 – Televendas: 0800 - 016 00 04
www.editorasantuario.com.br
vendas@editorasantuario.com.br

Dedicamos este livro a você, querido leitor. Se conseguirmos fazer qualquer diferença na sua vida, por mínima que seja, na arte de liderar a si mesmo e os outros, já teremos atingido o nosso propósito. E uma vez transformado, seja transformador. Essa é a dinâmica que deve mover os discípulos missionários de Jesus na construção de um mundo melhor, chamado Reino de Deus.

Para saber mais

Acesse **www.lidercatolico.com.br** para conhecer o nosso trabalho de formação e conteúdos complementares sobre alguns dos temas abordados neste livro.

Agradecimentos

Escrever um livro é uma tarefa desafiadora, pois envolve centenas de horas de trabalho solitário na frente do computador durante vários meses, muitas outras horas de estudo para refinar o conteúdo e inúmeras reuniões e encontros com diferentes pessoas para trocar ideias, a fim de amadurecer o projeto inicial.

Quando se decide escrever uma obra a quatro mãos, o trabalho se torna ainda mais desafiador porque exige sintonia entre os autores, estilos de escrita que se completem e o compromisso permanente de rediscutir cada uma das páginas dos originais, quantas vezes forem necessárias.

Somos muito gratos às pessoas que nos ajudaram a fazer com que esta jornada se tornasse empolgante e repleta de aprendizados e descobertas. Sem vocês, "A arte de liderar na Igreja" jamais teria alcançado a perfeita combinação de profundidade e simplicidade, que agora entregamos a todos os leitores.

Em especial, agradecemos:

- À jornalista Amanda Santa, que organizou as ideias centrais dos primeiros manuscritos, realizou importantes pesquisas ao longo do projeto e manteve nossos olhos atentos àquilo que realmente importa.

- A Dom Albano Cavallin, que gentilmente escreveu o texto do prefácio e sempre nos incentivou a continuar este trabalho. Lamentamos não tê-lo mais ao nosso lado para poder gozar de sua sabedoria e amizade.

- Aos leitores que se dedicaram à apreciação crítica dos manuscritos: Frei Adelino Frigo, OFMCap, Hélio Costa Moreira, Jefferson Lamberti, Ronaldo Paiva, Larissa Calsavara, Flávio Moura, Adolpho Bobroff, Ana Paula Bobroff, Regina Célia Nascimento, Diego Prazeres, Beth Kobayashi, Diácono Geraldo Luiz de Souza, Elaine Gonçalves da Silva, Rejane Hauch P. Tristoni e Jerry Silvio Tristoni. Seus apontamentos criteriosos nos geraram preciosas contribuições.

- Ao professor Aluysio Fávaro, pela revisão final dos manuscritos e as recomendações que deram melhor acabamento à obra.

- À Editora Santuário, que acreditou em nosso trabalho e se empenhou para uma produção gráfica e editorial que possibilite ao leitor uma ótima experiência de leitura.

- Aos familiares e amigos, dos quais muitas vezes precisamos nos ausentar nos últimos meses e que não deixaram de compreender e nos apoiar em nossa missão.

- A todas as pessoas amigas e companheiras de fé, cuja convivência e trabalho conjunto nos possibilitaram a experiência necessária para produzirmos o trabalho que agora compartilhamos.

- Ao Senhor, nosso Deus e principal referência em tudo o que escrevemos, pela inspiração e orientação dos nossos passos na produção deste livro.

A todos vocês, nossa gratidão!

Pe. Romão Martins e Wellington Moreira

Prefácio

"O futuro do mundo vai pertencer aos líderes que melhor souberem amar o homem moderno com suas exigências". Essa bela frase, de autoria desconhecida, mostra que, de fato, as boas lideranças são a grande esperança de um mundo melhor.

Pe. Romão Martins e Wellington Moreira intuíram tão bem a importância dos líderes no trabalho da Igreja que chegaram a elaborar este manual com o título sugestivo de "A arte de liderar na Igreja".

O livro, com uma didática muito clara, nos introduz na redescoberta dos segredos da liderança, ensinando-nos como fazer acontecer a formação de líderes nas comunidades civis e religiosas.

Os autores, para favorecer a compreensão das mudanças que a formação das lideranças exige, vão descrevendo uma ladainha de verbos de ação, de mudança e conversão que o processo demanda, tais como: é preciso estar antenado às mudanças da época moderna; é necessário adaptar-se aos tempos; descobrir novas lideranças; capacitar os escolhidos; valorizar os dons e carismas de cada um; e, sobretudo, estudar, estudar e estudar os motivos das mudanças.

O livro respeita todas as conquistas científicas das modernas ciências de gestão e relações humanas, mas apela com fé para a dimensão espiritual do líder religioso e a importância de imitar a liderança de Jesus na formação dos apóstolos.

Não faltam, também, denúncias fortes contra os conflitos tão frequentes das panelinhas, fofocas e cargos vitalícios, que tanto dificultam o progresso das comunidades.

Uma grande descoberta do livro é o papel insubstituível na Igreja do leigo como batizado e filho de Deus, bem como a importância decorrente do protagonismo dos leigos nas igrejas, segundo as orientações do papa Francisco e dos documentos da CNBB.

Faço votos que o manual provoque uma urgente revolução missionária na Pastoral da Igreja no Brasil.

† *Dom Albano Cavallin*
Arcebispo Emérito de Londrina
Londrina, 7 de dezembro de 2016

Sumário

Introdução 15

Parte I

Fundamentos da liderança 19
- Capítulo 1 – O que é liderança? 21
- Capítulo 2 – Liderança e o exercício do protagonismo 29
- Capítulo 3 – Espiritualidade: a base do bom líder 35
- Capítulo 4 – O velho e o novo jeito de liderar 45
- Capítulo 5 – Praticando a liderança servidora 51
- Capítulo 6 – Papéis-chave na gestão 59

Parte II

Liderança nas paróquias 65
- Capítulo 7 – A organização paroquial 67
- Capítulo 8 – Liderança no contexto atual das paróquias 77
- Capítulo 9 – O protagonismo dos leigos 83
- Capítulo 10 – O modelo de liderança de Jesus 89
- Capítulo 11 – O espírito missionário na vida
  do líder cristão 97
- Capítulo 12 – Virtudes no exercício da liderança paroquial .. 105

Parte III

Relacionamento com as pessoas... 113
- Capítulo 13 – Pastor ou boiadeiro?... 115
- Capítulo 14 – Confie e seja confiável 119
- Capítulo 15 – Conviva com seus liderados 127
- Capítulo 16 – Pratique *feedback*.. 131
- Capítulo 17 – Como administrar conflitos 139
- Capítulo 18 – Lidando com as panelinhas 149

Parte IV

Fazendo as coisas acontecerem 155
- Capítulo 19 – Como elaborar um plano de ação....................... 157
- Capítulo 20 – O que fazer para tirar as ideias do papel........... 163
- Capítulo 21 – Importância de delegar tarefas 169
- Capítulo 22 – O passo a passo da delegação............................. 177
- Capítulo 23 – Como conduzir reuniões produtivas.................. 181
- Capítulo 24 – Falhas de liderança que prejudicam
   os resultados... 185

Parte V

Capacitando sucessores 193
- Capítulo 25 – Importância de abrir espaço
   para novas lideranças... 195
- Capítulo 26 – O processo de formação de sucessores
   na paróquia 199
- Capítulo 27 – As tentações de quem precisa
   formar sucessores 205
- Capítulo 28 – Como substituir líderes há muito
   tempo coordenadores 213
- Capítulo 29 – A "passagem de bastão"
   para o novo coordenador 217
- Capítulo 30 – Boas práticas para um líder católico
   de primeira viagem 223

Sumário

Mensagem final 227

Os autores 231

Encontros de formação 235

Referências bibliográficas 237

Introdução

Todo ser humano precisa, no mínimo, ser líder de si mesmo. Por isso, aprender sobre liderança é proveitoso em qualquer momento da vida, e ficamos particularmente felizes por saber que você está interessado em iniciar os estudos deste tema, ou então conhecê-lo mais profundamente, por meio da nossa obra.

Algumas pessoas – e este talvez seja o seu caso – sentem o chamado de Deus para liderar na Igreja, como religioso professo, sacerdote ou leigo. Para este último, geralmente surgem questões preocupantes: "Como poderei ajudar se nem conheço a Bíblia direito?"; "Eu tenho pouco estudo e agora precisarei conduzir um grupo de pessoas?"; "Tem gente mais competente do que eu!"; "Como vou dar conta dessas atividades rotineiras na comunidade, se trabalho todos os dias e ainda tenho minha família?" e por aí vai...

Por que, então, devemos liderar no ambiente de Igreja, ainda quando não nos sentimos totalmente preparados? Entre os motivos que podem ser elencados, enumeramos seis, que só você, batizado, pode compreender:

1) *O trabalho em comunidade é uma das mais belas formas de glorificar a Deus.*
2) *Estar à frente de um trabalho religioso possibilita a você fazer uso dos dons e talentos que o Senhor lhe concedeu.*

3) Assistir a comunidade que o acolhe.
4) Ser um colaborador de Jesus com a missão especial de ajudar a apascentar seu rebanho.
5) Estando à frente de um grupo e se colocando como seu primeiro servidor, você aprofundará a experiência de unidade e comunhão com Deus e com a comunidade.
6) O exercício da liderança, que lhe custará doação pessoal, dedicação de tempo e até sacrifícios, também proporcionará uma fé mais madura e habilidades em relações humanas, que poderão ser um diferencial em sua vida para sempre.

Quando perguntaram a João Batista se ele era o Cristo, no mesmo momento respondeu: "Eu não sou!" Então, perguntaram-lhe de novo: "Pois, então, quem és tu?" E ele respondeu: "Eu sou a voz que clama no deserto" (Jo 1,23).

No mundo de hoje, nossa voz, como foi a de João Batista em seu tempo, deve clamar no deserto do contratestemunho e da descrença, apontando sempre para a vontade de Jesus na vida humana. Líder religioso é aquele que se mantém nessa sintonia e ajuda a comunidade a caminhar focada na mesma direção.

> "Importa que ele cresça e que eu diminua"
> (Jo 3,30)

É comum homens e mulheres darem os primeiros passos como líderes de pessoas na Igreja e, justamente por isso, algum tempo depois, passarem a ocupar posições de gestão em suas carreiras profissionais, graças à experiência que acumularam no trabalho em comunidade. Quem, aos 15 anos de idade, já coordena um grupo de adolescentes, geralmente não tem ideia do bem que está fazendo para si mesmo.

Para reforçar isso que estamos dizendo, confira o belo testemunho de uma jovem, que reproduzimos a seguir:

> Quando era adolescente, entrei para o grupo de adolescentes da paróquia. Após alguns anos de serviço, fui designada para

> o ministério da palavra. Era como se um sonho se realizasse, porque, além de falar em público, eu estava levando a mensagem do Evangelho. Entrei para a faculdade de Jornalismo e, logo em seguida, fui escolhida coordenadora do grupo. Essa foi uma das experiências mais marcantes e mais valiosas que tive na vida, pois aprendi que nem tudo é como planejamos. A vida é imprevisível e só confiando em Jesus que temos forças para seguir adiante e lidar com desafios que se apresentam. Minha fé era tanta que eu tinha certeza que Ele me guiaria na profissão correta. Hoje, com 25 anos, trabalho numa empresa de Treinamento & Desenvolvimento e passei recentemente por uma certificação que me fará alçar voos ainda mais altos. Para mim, não é apenas um trabalho. É a minha missão. É a continuidade da minha vida de serviço, da minha coordenação, pois o que faço é apoiar as pessoas para serem melhores do que já são, para acreditarem em si mesmas e para desenvolverem habilidades de liderança. Olho para trás e vejo que Deus me colocou no grupo de adolescentes e me deu a oportunidade de coordená-lo para que eu fortalecesse minhas raízes, minha base e construísse uma carreira sólida. A mensagem que levo comigo é: o que segura uma árvore quando vem a tempestade? As raízes! E foi no grupo que minhas raízes cresceram e se fortaleceram. O que sou hoje devo à experiência que tive lá.

Nosso propósito com esta obra é oferecer-lhe pistas a respeito do que consideramos essencial para quem se propõe a liderar em qualquer ambiente, mas sempre manteremos como perspectiva principal a liderança na Igreja, razão de ser do nosso trabalho.

Procuramos reunir, de modo didático e prático, princípios e técnicas que você pode aplicar hoje mesmo em seu trabalho evangelizador. É claro que alguns dos temas aqui tratados seguramente merecem um livro só para eles, mas esta obra não nasceu para "escavar as entranhas" de cada assunto abordado e sim para fornecer orientações que realmente possam ajudá-lo, de imediato, a fomentar uma atuação comunitária que valorize as pessoas, o testemunho de vida, a unidade, a Palavra de Deus e o compromisso com a missão.

Esperamos que "A arte de liderar na Igreja" alcance esse propósito e auxilie para que a sua caminhada como líder seja ainda mais eficaz e frutuosa.

P.S.: Entendemos liderança como arte, inspirados por um pequeno trecho do clássico livro "O desafio da liderança" (Ed. Campus), dos autores norte-americanos James Kouzes e Barry Posner, que lembram: "Liderar é uma arte. E, na arte de liderar, o instrumento do artista é seu próprio ser. Dominar a arte de liderar, portanto, é dominar a si próprio. Em última instância, o processo de desenvolvimento da liderança é um processo de autodesenvolvimento".

Uma ótima leitura e Deus o abençoe!

"E vos darei pastores segundo meu coração, os quais vos apascentarão com ciência e com inteligência."
(Jr 3,15)

Parte I

Fundamentos da liderança

1
O que é liderança?

Há aproximadamente 350 mil livros publicados sobre liderança. Isso não quer dizer, porém, que tudo já foi dito sobre o tema. Ainda há muito a ser explorado. E a grande contribuição deste livro é discutir, com riqueza de detalhes, as nuances do tipo de liderança que todos precisamos exercer quando estamos à frente de um movimento, pastoral ou de uma equipe de serviço paroquial.

Ou seja, se você desenvolve um trabalho em sua comunidade e quer aprender como conduzi-lo com maestria, nas próximas páginas vai encontrar um rico material que o ajudará a saber como agir diante de situações que se apresentam a todo aquele que lidera no ambiente eclesial.

Nossa intenção, neste livro, não é fazer uma abordagem teórica sobre o tema – afinal, já existem ótimas publicações com essa finalidade. O que pretendemos é mostrar, na prática, quais são os desafios e tarefas que o líder católico deve encarar na condução de si mesmo, quando tem um grupo de pessoas sob sua responsabilidade ou dirige um importante projeto na Igreja.

Mas, antes de mais nada, o que é liderança? Podemos resumi-la numa única palavra: **influência**. Liderar, portanto, tem a ver com a capacidade de você impactar positivamente pessoas e saber conduzir negócios, ter ascendência sobre quem se relaciona com você e o próprio ambiente ao redor. Logo, líder é todo aquele que atua como agente de transformação em sua própria vida, na família, no trabalho, na escola, na comunidade religiosa, quando utiliza mídias digitais, ou quando age em qualquer outra esfera da sociedade. Confirma essa explicação uma frase de autoria desconhecida, mas muito verdadeira: "No mundo, há três tipos de pessoas: as que não se movem, as que se movem, e as que movem os outros".

> Liderança é a capacidade de influenciar pessoas e fazer acontecer.

E a boa notícia é que ninguém nasce líder. Algumas pessoas trazem consigo características de personalidade que aparecem logo na primeira infância e estão relacionadas ao ato de influenciar, mas não há nenhum estudo científico sério e conclusivo que tenha identificado, até o momento, genes responsáveis pelo exercício da liderança. Como ocorre com qualquer outra habilidade, seu desenvolvimento vem com os estudos, a prática e a disciplina, podendo ser aprendida, em maior ou menor grau, por quase todo mundo.

Consequentemente, a capacidade de liderança tem muito mais a ver com o conjunto de experiências que a pessoa adquire ao longo da vida do que com a sua herança genética. O tipo de educação dada pelos pais, as escolas nas quais estudou, o exemplo de quem a conduziu na infância, o fato de ter praticado ou não esportes coletivos e a oportunidade de lidar com responsabilidades na adolescência fazem uma diferença enorme.

Melhor notícia ainda é que a Igreja é uma verdadeira escola para aprender e exercitar a "arte da liderança", e Jesus é, sem dúvida, a maior e melhor inspiração. Portanto, mãos à obra!

As quatro dimensões da liderança

A primeira coisa que vem à cabeça quando se fala em liderança é que o assunto está, necessariamente, relacionado à capacidade de coordenar um grupo de pessoas, não é mesmo? Mas essa é apenas uma das faces da liderança (BARRETT, 2014). A verdade é que, antes de tentarmos cuidar dos outros, precisamos superar o desafio de comandar a nós mesmos.

Na sequência, sendo minimamente capazes de nos **autoliderarmos**, podemos começar a pensar em **conduzir um grupo de pessoas**. Mas a liderança vai além dessas duas dimensões. Na Igreja, por exemplo, quem possui a incumbência de dirigir um grande projeto, que envolve a comunidade paroquial, atua como **líder organizacional**. Já aqueles cujas ações e palavras extrapolam os muros da Igreja **lideram em sociedade**.

Vamos entender na prática como se dá a atuação do líder em cada uma dessas quatro dimensões:

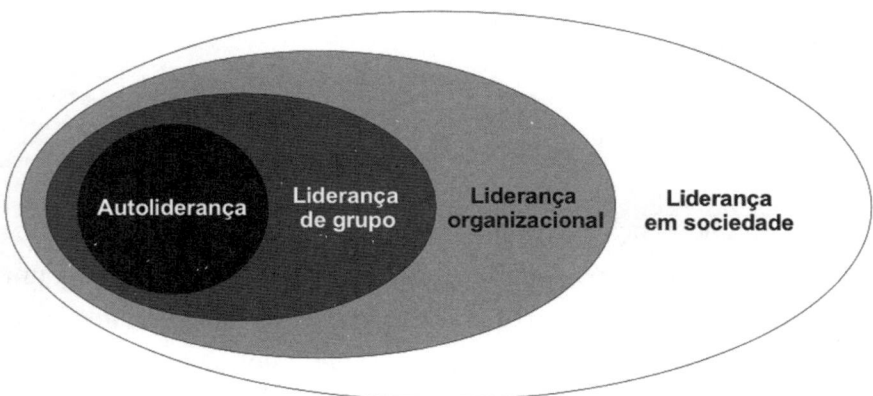

Figura 1: Dimensões da liderança

1) Autoliderança

Todo exercício de liderança começa em você mesmo. A partir do momento em que você se põe à frente das coisas, sentindo-se responsável pelos resultados do trabalho que lhe foi confiado, e não fica esperando que as pessoas lhe digam o que fazer a cada novo passo, sem dúvida alguma você já é um líder.

É por isso que indivíduos que mantêm o autocontrole emocional, que não se acomodam, são organizados, disciplinados e pontuais nos compromissos, geralmente se dão muito bem quando precisam assumir, em algum momento de sua vida, a liderança de uma equipe. Estes já desenvolveram atributos que os tornam aptos para desempenhar, com sucesso, sua missão.

Contudo, lembre-se: o bom testemunho e a vida de oração ajudam bastante na disciplina pessoal e são fundamentais no exercício da liderança cristã. Como bem lembra Tiago: "Sede praticantes da Palavra, e não meros ouvintes, enganando-vos a vós mesmos" (Tg 1,22).

2) Liderança de grupo

É a autoliderança que permite a transição para o segundo estágio: a liderança de outras pessoas. Quando não conseguimos ser e dar um bom exemplo, nossas palavras são desacreditadas. Podemos até ter razão naquilo que dizemos, mas a comunidade simplesmente ignora.

Contudo, você vai ver, durante a sua caminhada dentro da Igreja, que nem sempre pessoas que se destacam por se autoliderarem transformam-se em ótimos coordenadores de grupo. Isso porque uma coisa é subir uma montanha sozinho e outra bem diferente é levar uma equipe consigo na expedição.

Liderar pessoas requer empatia, capacidade de escuta, saber dar *feedback*[1], lidar bem com conflitos, "gostar de cheiro de gente", ser inspirador e ter como propósito ajudar os liderados a não ficarem dependentes de você. Resumindo, no meio secular significa conseguir fazer as coisas acontecerem com a colaboração dos outros. Na Igreja, trata-se especialmente da capacidade de, numa ação comunitária, atrair as pessoas a Jesus Cristo e a seu projeto de vida, e não a si próprio ou ao seu grupo religioso como finalidade última.

> O verdadeiro líder cristão é aquele que atrai as pessoas para Jesus e não para si próprio.

3) Liderança organizacional

No contexto da Igreja, a liderança organizacional é exercida por aqueles que coordenam projetos paroquiais, de ordens religiosas, institutos e comunidades de vida, com amplitude maior do que a de apenas um grupo. É o caso de quem está à frente de uma grande obra material, social ou evangelizadora, que envolve toda a comunidade.

> Certa vez, as lideranças de uma comunidade se uniram para adquirir o terreno de um estacionamento próximo à paróquia com o objetivo de construir um novo templo, já que o número de paroquianos só crescia. Foi lançada uma campanha para levantar fundos, as pessoas se envolveram de modo admirável e logo um belo projeto arquitetônico da futura obra já começou a ser discutido com entusiasmo.

---

[1] *Feedback* é uma palavra inglesa que pode ser traduzida como "retroalimentar", "alimentar de volta" ou "dar retorno". Portanto, tem a ver com o ato de transmitirmos a outra pessoa nossa percepção acerca daquilo que ela disse, fez ou deixou de fazer em determinado momento.

> No entanto, o pároco empreendedor foi substituído por outro com um perfil bem diferente, e boa parte das lideranças acabou se desligando da paróquia ao longo dos anos seguintes. Resultado: 15 anos depois, a ideia do novo templo ainda não saiu do papel e poucas pessoas frequentam as celebrações dominicais daquele lugar.

Assim como nas empresas, os líderes organizacionais são essenciais para o bom funcionamento de uma paróquia, pois eles atuam como os "executivos da comunidade". São pessoas que fazem as grandes mudanças acontecerem e têm de tomar decisões nem sempre fáceis.

No âmbito paroquial, quem tem esse papel normalmente é o pároco e alguns membros do Conselho de Pastoral Paroquial (CPP). Podem surgir, também, projetos de maiores proporções para os quais sejam designadas coordenações especiais, por exemplo: santas missões populares, organização comemorativa do jubileu paroquial, desenvolvimento de uma ação social comunitária etc.

4) Liderança em sociedade

Por fim, a quarta dimensão é a liderança em sociedade, que se dá quando a influência pessoal ultrapassa as fronteiras da paróquia. Enquanto o líder organizacional limita-se a atender os interesses de uma instituição ou comunidade específica, o líder em sociedade "sai do seu quadrado" para exercer um papel mais amplo e decisivo. As coisas que diz e faz impactam a coletividade.

Isso ocorre quando, por exemplo, o padre organiza uma peregrinação missionária para visitar os fiéis de outra comunidade no plano espiritual e, na mesma viagem, também leva um paroquiano médico para atender a população daquele lugar. Ou, então, naquela situação em que você desenvolve um projeto de combate à dengue no bairro onde a paróquia está situada e essa medida ajuda a diminuir os focos do mosquito. O trabalho da Pastoral da Criança é outro ótimo modelo de liderança nessa dimensão maior.

É bom destacar que nem todo indivíduo é capaz de se tornar um líder organizacional ou um líder em sociedade. Todos, com certeza, podem liderar a si mesmos, e a maioria consegue coordenar grupos de pessoas se tiver credibilidade e disposição para se doar aos outros. Porém, a liderança organizacional exige compreensão sistêmica, uma experiência maior, mais tempo de Igreja para entender por que as coisas acontecem ou devem ser feitas de determinada maneira. E a liderança em sociedade pede um olhar voltado à coletividade, o desprendimento de si e o propósito de tornar o mundo melhor.

Mas como medir o alcance da liderança de alguém?

É possível mensurar a força da sua liderança pelo **impacto** que você causa sobre outras pessoas e sobre a própria comunidade. Isto é, pelo número de indivíduos que se importam com aquilo que você faz ou diz e pelo quanto consegue progredir para que as ideias saiam do papel.

Aliás, é por isso que artistas e gente desconhecida do grande público – mas com milhões de seguidores nas redes sociais – gozam de certo grau de liderança, pelo menos em relação a quem escuta o que essas pessoas têm a dizer.

É equivocada a ideia de que, para liderar, é preciso ter um grupo de subordinados. Liderança

> Liderança é influência e não uma posição que se ocupa.

não exige cargo. Ao contrário, quando precisa de um título para liderar você não é líder e sim um mero **chefe de equipe**.

Com isso estamos dizendo que você não necessita estar na coordenação formal de um grupo da sua comunidade para fazer as coisas acontecerem. Não se preocupe com títulos ou *status*. Se você deseja trabalhar pelo Reino de Deus e tem possibilidade de ajudar de alguma forma, importe-se somente em canalizar as forças para o propósito almejado, seguir os passos do Mestre Jesus e servir com seus dons e capacidades.

Contudo, cuidado para não se transformar num **bonsai**[2]. Muitas pessoas não amadurecem como líderes porque se fecham no próprio mundo e no ambiente do grupo de que participam, preocupando-se apenas com seus interesses e projetos particulares. Enquanto não vencerem o "espírito aristocrata" das panelinhas, jamais evoluirão o seu potencial de liderança.

Também tenha em mente que o líder é um agente de mudanças e está sempre em busca de progresso. Por isso a inquietude é sua marca. Um dos graves problemas de muitas comunidades é que as lideranças estão acomodadas, acham que tudo foi feito sempre de determinada forma e não precisa mudar, ficam no "feijão-com-arroz" rotineiro e não conseguem protagonizar uma evangelização mais arrojada.

Nossas comunidades necessitam de líderes que não sejam apenas bons executores de tarefas. Precisam de pessoas capazes de refletir sobre o que fazem ou poderiam fazer, e que realmente estejam dispostas e preparadas para encarar os desafios de evangelizar num mundo novo, cada vez mais exigente e em constante mudança.

---

[2] Técnica utilizada no plantio de qualquer tipo de árvore na qual se restringe o crescimento das raízes pela utilização de um vaso raso e pequeno com o intuito de miniaturizá-la. Ou seja, mesmo tendo potencial de se tornar uma árvore de grande porte, ela continua pequena porque não tem espaço suficiente para crescer.

2
Liderança e o exercício do protagonismo

Acompanhando seu melhor amigo à banca de jornal, Joaquim o viu ser maltratado pelo jornaleiro, mesmo depois de tê-lo cumprimentado amavelmente. Mais: após segurar uma revista jogada em sua direção, o amigo dele sorriu com alegria e ainda desejou um ótimo fim de semana ao jornaleiro.

Assim que caminhavam pela rua novamente, Joaquim lhe perguntou:
– Ele sempre o trata com essa grosseria?
– Sim, infelizmente é sempre assim.
– E você costuma ser tão atencioso e amável com ele?
– Sim, sou.
– Por que é tão educado, já que ele é tão rude com você?
*– **Porque não quero que ele decida como eu devo agir.***

De modo semelhante à história que introduziu este capítulo, líderes de verdade não se posicionam como injustiçados, nem explicam sua forma de agir com base naquilo que outros fizeram ou fazem com eles. Escolhem o modo de atuar diante das circunstâncias porque se veem como protagonistas da própria vida e se orientam por princípios, em vez de aceitarem o papel de vítimas ou de meros coadjuvantes.

No livro "Os 7 hábitos das pessoas altamente eficazes" (2001), o escritor norte-americano Stephen Covey lembra que todos temos um **Círculo de Influência** e um **Círculo de Preocupação** que afetam nossas decisões e a forma como reagimos a um mesmo problema.

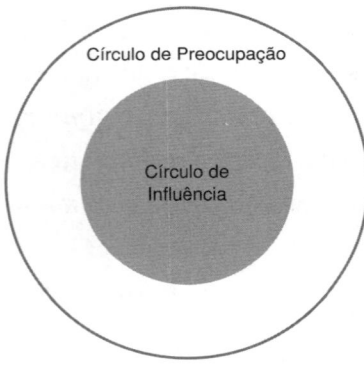

Figura 2: Círculo de preocupação e círculo de influência (adaptado de COVEY, 2001)

Dentro do Círculo de Influência estão as coisas sobre as quais você acredita que exerce algum tipo de controle direto. Ou seja, aquilo que você pode modificar, transformar, alterar. Por outro lado, no Círculo de Preocupação está tudo o que você não pode controlar e o faz sentir-se, no máximo, preocupado.

Para entender bem esses conceitos, vamos pensar na sua saúde. Praticar exercícios, manter uma alimentação equilibrada e não fumar são comportamentos que dizem respeito ao Círculo de Influência.

Contudo, essas medidas não impediriam que um acidente de trânsito ou doenças genéticas – não controláveis e, portanto, dentro do Círculo de Preocupação – colocassem sua vida em perigo.

O interessante é que a forma como você enxerga seu mundo altera as fronteiras de cada círculo e é por isso que algumas pessoas acabam se limitando a um Círculo de Influência muito menor do que sua real capacidade, ao passo que outras o expandem de um modo extraordinário.

O resultado é que alguns indivíduos agem proativamente, enquanto outros se contentam em reagir às circunstâncias. Vamos entender melhor essas posturas comportamentais:

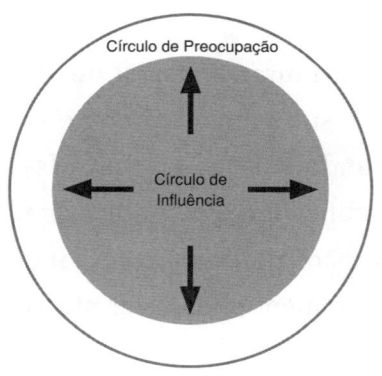

Pessoas com foco proativo

São aquelas que expandem seu Círculo de Influência, acreditando que poucas coisas não podem ser feitas por elas. Seres humanos que atuam como protagonistas e se enxergam produto das próprias escolhas. Gente do tipo que não espera que outras pessoas lhes digam o que fazer, pois, proativamente, criam o mundo por que anseiam.

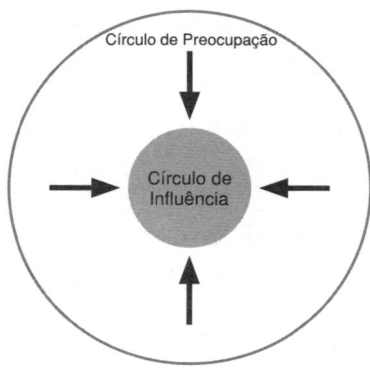

Pessoas com foco reativo

Reagem negativamente às circunstâncias que as afetam. Com um ar de vítima, preferem encontrar culpados em vez de resolver os problemas que aparecem. Fazem-se de coitadinhas, quando poderiam atuar com protagonismo em sua comunidade. Dependem de abraços e aplausos das pessoas para caminhar.

Diferenças práticas no dia a dia

Enquanto o reativo diz "Não há nada que eu possa fazer!" ou "Sou assim e pronto!", o proativo fala "Vamos procurar alternativas!" ou "Posso tomar uma atitude diferente!"

Muitas coisas boas que acontecem em sua comunidade são decorrentes do protagonismo que algumas pessoas exercem, e aquelas promessas que não saem do papel talvez sejam reflexo da falta de gente proativa.

Deus não nos chamou à vida para murmurar, reclamar ou praguejar. Não nascemos para ser vítimas e sim para atuar como canais do bem, do amor e da paz no mundo em que vivemos. Isso não quer dizer que você deva ser autossuficiente. Precisamos, sim, entregar nossos sonhos e projetos nas mãos de Deus, recordando sempre Provérbios 16,1: "O coração do homem pode fazer planos, mas a resposta certa dos lábios vem do Senhor".

O protagonismo também não pode ser uma desculpa para o comportamento arrogante. Uma coisa é se colocar à frente dos desafios e outra bem diferente é manter o ego inflado e prepotente porque seu trabalho parece ser imprescindível à comunidade. Só relembrando, **somos o canal e não a fonte**. Nosso trabalho evangelizador não é para a satisfação pessoal e sim para construir o Reino de Deus aqui na Terra.

Quando você esmorece, também não quer dizer que deixou de protagonizar. Lembre-se, somente, de ficar a sós com Deus quando isso ocorre, a fim de renovar suas forças, como o próprio Cristo convida em Mateus 11,28: "Vinde a mim, todos os que estais cansados e oprimidos, e eu vos aliviarei".

Momentos da verdade para o exercício do protagonismo

Para certificar-se que o Círculo de Influência impera em sua vida, preste atenção em como reage às seguintes situações:

1) Quando é necessário arcar com as responsabilidades pelos fracassos. Diante de derrotas temporárias, algumas pessoas logo querem arranjar justificativas ou culpar outras por seus infortúnios, enquanto que líderes de verdade preferem assumir a responsabilidade que lhes cabe. É por isso que você só tem certeza de que age como PROTAGONISTA – com letras maiúsculas – se, quando as coisas dão errado, você não pensa duas vezes para aceitar o ônus que, no íntimo, sabe que é seu e de mais ninguém.

2) Quando você tem de tomar decisões arriscadas. Ser protagonista é agir na hora em que a maioria das pessoas prefere recuar, é ir em frente apesar das grandes incertezas, é fazer aquilo que é necessário sem ser intempestivo ou apressado. Em resumo, lidar com os holofotes virados para você bem no momento em que muitas pessoas estão preparadas para atacá-lo se o jogo não terminar como planejou.

3) Quando é preciso ser obediente. Um dos principais desafios que podemos enfrentar na Igreja é ter de exercer o protagonismo e, ao mesmo tempo, aceitarmos ser liderados por outra pessoa. A sua maturidade é provada se o pároco ou o bispo, por exemplo, quer de você algo que não gostaria de fazer, mas, assim mesmo, vai em frente e cumpre seu papel com obediência. Alguns

> Quem hoje não se faz um bom soldado, amanhã também não será um bom líder.

têm dificuldades em ficar subordinados a outras pessoas porque preferem definir eles mesmos suas agendas de trabalho, mas na Igreja nem sempre a coisa funciona assim.

A busca por holofotes

No primeiro capítulo, vimos que, antes de liderar outras pessoas, você deve desenvolver a autoliderança, porque se não sabe conduzir a si próprio, como poderá liderar um grupo?

Há pessoas que aceitam papéis de liderança na comunidade pelos "motivos errados", especialmente:

- Querem preencher uma necessidade emocional que carregam dentro de si. Baixa autoestima ou desejo de aprovação social, por exemplo.
- Têm sede de poder ou autoridade e veem na paróquia uma oportunidade de ascensão rápida, já que não conseguem alcançar esse objetivo em outras esferas, por algum motivo.
- Desejam estar sempre no centro de qualquer coisa que aconteça na comunidade.

Jamais esqueça que o papel de liderança que você exerce na Igreja exige desprendimento e a consciência de que os holofotes não podem permanecer virados para o líder religioso. **Devemos exercer o protagonismo sem sermos ou nos vermos como protagonistas**, pois a honra e a glória cabem somente a Deus. O bom líder é aquele que faz acontecer e, na maioria das vezes, sequer é percebido como tal.

E se você notar que está desviando o foco da sua liderança religiosa para o alcance de objetivos individuais – ainda que nobres –, ponha o joelho no chão, reze ao Senhor e suplique humildade e coragem de recomeçar, enquanto há tempo.

3
Espiritualidade: a base do bom líder

Muita gente pode achar estranho abordar "espiritualidade" num livro para lideranças. Parece que nada tem a ver uma coisa com a outra, visto que, por vezes, liderar remete somente às técnicas administrativas, à capacidade de relacionamento com as pessoas e àquilo que possibilita a obtenção de resultados. Mas não é bem assim. No mundo atual, até mesmo os empresários e executivos bem-sucedidos descobriram a necessidade do cultivo da espiritualidade para poderem dar conta da sua demanda profissional, por vezes desafiadora, saturada, sob cobranças e pressões internas e externas. Sem esquecer as preocupações e responsabilidades particulares e familiares, que não são poucas.

A espiritualidade é uma fonte importante e necessária na nossa vida, pois ela nos ajuda a:

- reagirmos à realidade do dia a dia sem sermos levados, absorvidos ou oprimidos pela rotina;
- descobrirmos novos e úteis caminhos para a vida;
- vivermos, convivermos e trabalharmos sabiamente com outras pessoas;
- permanecermos próximos de Deus e passarmos a enxergá-lo no irmão e em todas as situações que ocorrem em nosso dia a dia;

- liderarmos de uma maneira mais humana, justa e eficaz;
- conservarmos a paz, a alegria, a serenidade e o equilíbrio, mesmo quando a vida cotidiana se torna dura, difícil e pesada.

Se a espiritualidade é um requisito fundamental para o homem e a mulher do tempo presente, seja na esfera pessoal, familiar ou profissional, muito mais o é para o líder religioso, que está à frente de um grupo em nome da fé.

Técnicas de gestão são insuficientes

Não somos apenas líderes. Somos pessoas de Deus. Nosso trabalho não é uma mera função existente na Igreja, mas uma missão que Ele nos confiou. Por isso precisamos tentar descobrir e seguir o jeito de agir, orientar e conduzir segundo os métodos d'Ele. Dom Albano Cavallin[3] com frequência rezava: "Senhor, que minha vontade não prevaleça sobre a Tua". Essa deveria ser nossa invocação de todos os dias.

Ajuda muito se o líder religioso tiver uma formação superior, por exemplo, de administrador, engenheiro, psicólogo ou assistente social. Contudo, cursar uma faculdade ou pós-graduação e ter acumulado experiência em outras esferas da vida não garante que o trabalho pastoral será bem-sucedido. E ainda é bom lembrar que, país afora, vemos pessoas simples e pouco letradas atuando como líderes fantásticos em suas comunidades, mesmo sem predicados acadêmicos.

Quem trabalha em nome de Deus não necessariamente faz a vontade de Deus, por mais exímio que seja o seu trabalho e por mais nobres que sejam suas intenções. Não basta uma organização primorosa, boa catequese e seguir a liturgia à risca. Eficiência e qualidade,

---

[3] Arcebispo emérito da Arquidiocese de Londrina, faleceu em 1º de fevereiro de 2017, aos 86 anos.

por si sós, podem estar distantes da humanidade e da divindade e não são suficientes para salvar pessoas. A meta do líder cristão, portanto, mais do que obter sucesso administrativo, é procurar a conversão do coração, a santidade, ter boa e fraterna convivência com as pessoas, fortalecer-se na fé em Jesus e conduzir-se por seu caminho.

Você pode até falar maravilhosamente sobre Deus, mas se não tiver uma verdadeira experiência com Ele, será apenas um profissional da palavra, e as pessoas lideradas permanecerão secas. O líder deve dar às pessoas não do que aprendeu, mas do que experimentou; por isso edifica sua liderança primeiro em Deus, nossa principal fonte de luz e inspiração (1Cor 13,1).

Hoje em dia, muita gente não tem tempo algum para o Senhor. Há líderes religiosos que nem sequer rezam um "Pai-nosso" por dia, e outros o rezam apenas por obrigação, ou preceito, e de forma rápida e atropelada, como se tivessem coisas mais importantes para fazer.

Você deve tornar-se um guia a ser seguido, não apenas alguém que mostra o caminho. Uma grande e diabólica tentação é trabalhar muito em nome de Jesus, porém, sem estar em sintonia com Ele ou ao menos conhecê-Lo.

A espiritualidade orienta o líder a caminhar na escuridão

Percorrer o caminho sem perder o foco nem sempre é tarefa fácil. A vida é repleta de adversidades. A convivência humana tem seus altos e baixos, ônus e bônus que precisam ser bem administrados para evitar prejuízos possivelmente irreparáveis. Muita gente está longe de uma mínima maturidade humana, psicológica e espiritual necessária para uma razoável e harmônica vida em comunidade.

O líder deve estar preparado para momentos de escuridão. Não raro, de um lado, ele se vê diante de gente que o trata bem e, de outro, se depara com vaidades, ciúmes, inveja, prepotência, disputas internas e até mesmo com alguns rebeldes que torcem para que suas iniciativas acabem frustradas.

> Uma das características do líder secular é a **autoconfiança**. No líder espiritual, o mais importante é a **confiança em Deus**.

Também está sujeito a imprevistos, à ira, à falta de paciência, à tentação, ao desânimo, às paixões negativas, à solidão, ao fracasso, ao medo, a crises, à insegurança, ao abuso de poder, ao complexo de inferioridade e ao excesso de confiança.

Apesar de tudo isso, ele precisa caminhar com humildade, ser acolhedor, tratar bem a todos, ir atrás da ovelha perdida, corrigir, saber como e quando ser flexível, manter a coesão do grupo e estar unido com a Igreja. Responsabilidades que exigem uma comunhão íntima com Deus para serem exercidas com sabedoria.

"Buscai as coisas do alto", clamou o apóstolo Paulo à comunidade dos colossenses (Cl 3,1). Não porque as coisas de baixo, da vida terrena, não sejam boas e mereçam ser desprezadas, mas porque, em sintonia com o que vem do alto, nos apegamos àquilo que é eterno e cumprimos mais sabiamente nossa missão neste mundo.

A espiritualidade nos faz ver Jesus no outro

Nem sempre estamos rodeados de pessoas que nos amam. Ao mesmo tempo, humanamente queremos bem a alguns e desprezamos outros, podemos sentir-nos atraídos por certas pessoas e evitarmos outras. Quando isso ocorre é péssimo! Muito mais quando se trata de liderança religiosa, que tem de ser exemplo na vivência do amor fraterno e promover a comunhão e a unidade de todos.

3. Espiritualidade: a base do bom líder

Um dos caminhos para trabalhar interiormente a superação das diferenças é procurar revestir-se do coração de Cristo Bom Pastor, cheio de amor pelas pessoas. "Aprendei de mim que sou manso e humilde de coração" (Mt 11,29), ensinou Jesus; Ele que soube manter o domínio das emoções, ao lidar com todo tipo de gente, e jamais vacilou em sua missão. Que a capacidade de amar gratuitamente e sem limites nos leve a falar como Paulo: "Já não sou eu quem vive, é Cristo que vive em mim" (Gl 2,20).

Uma outra via de superação muito eficaz é procurar olhar para as pessoas como são e não como gostaríamos que fossem. Isso requer um bom esforço da nossa parte e foi o que Jesus ensinou, por exemplo, com a parábola do filho pródigo (Lc 15,11-32). O irmão mais velho tinha dificuldade em receber de volta e perdoar o irmão mais novo, que esbanjou os bens de seu pai, porque o olhava da forma como gostaria que ele fosse. Já o pai o olhava como de fato era: alguém miserável, traído pela própria prepotência e arrogância, mas que continuava a ser seu filho. Esse foi o olhar de Jesus diante de ladrões, adúlteros ou publicanos. Ele sabia separar muito bem as pessoas de seus defeitos, de suas falhas e de seu pecado. Quem não sabe distinguir e condena tudo junto, atenta contra a misericórdia e comete injustiça diante de Deus.

A oração sincera e verdadeira, sustentada pela Palavra de Deus, torna-se a seiva que nos sustenta e nos ajuda a mudar certas atitudes, a domar os próprios sentimentos, a ver o rosto de Jesus no próximo, seja ele quem for, e a usar de misericórdia. Jamais conseguiremos ver Deus nas pessoas, sobretudo naquelas que nos contrariam, desafiam, chateiam, fazem algum mal ou não colaboram, se não formos pessoas de oração.

É preciso reservar um tempo para orar

"Tudo tem seu tempo", diz o Eclesiastes (3,1). Tempo é questão de prioridade. Um amigo contador costumava lembrar que "administrar o tempo é mais importante do que administrar o dinheiro", e é verdade. Tempo mal administrado é vida perdida. Dinheiro perdido pode até ser recuperado, mas vida não. Vive melhor e mais feliz quem reserva tempo para o trabalho, o descanso, o lazer, a família, os amigos e para Deus! São bens essenciais que proporcionam o que o dinheiro não compra, e todos precisam se dar esse direito.

Falando especificamente da oração, muitos alegam dificuldades por não saberem o que dizer a Deus. Há quem repita mecanicamente orações oficialmente formuladas, sem sequer refletir sobre o que reza. Mas o que Deus quer realmente da sua oração? Mais do que multiplicação de palavras, **quer que você se coloque na presença d'Ele, muitas vezes silenciosamente, para Lhe falar**. Até que ponto o Senhor tem encontrado esse silêncio orante em sua vida?

Cada pessoa deve encontrar seu estilo próprio de ouvir e falar com Deus. O importante é reservar um **tempo diário** suficiente para dialogar com Ele sobre a sua vida, afazeres, alegrias, problemas, planos e tudo mais que se passa em seu coração, na certeza de que Ele é um amigo que caminha ao seu lado, escuta-o e se preocupa com você. Ao conversar com Deus, agradeça, louve, peça perdão, suplique e leia um trecho da Bíblia Sagrada.

E quanto tempo é necessário rezar? Você vai descobrindo aos poucos. "Quem Te ama Te arranja um momento", canta o Pe. Zezinho. A necessidade de mais ou menos tempo é o coração, verdadeiramente aquecido pelo amor de Deus, que vai dizer. Importante é que o tempo dado a Deus seja de bom grado, num momento em que você não se deixe interromper por nada do que é exterior. Seu tempo com Deus é sagrado! Uma coisa é certa, atestada pelos grandes santos e místicos da história: quanto mais sua vida for corrida, estressante, pesada e desafiadora, maior deve ser seu tempo de oração.

> Deus não merece um tempo maior em sua vida?

3. Espiritualidade: a base do bom líder

A vida de Jesus não foi fácil. Veja, por exemplo, o episódio ocorrido em Mc 1,29-39: Ele visitava as pessoas, curava, expulsava demônios e era seguido por multidões que procuravam extrair d'Ele tudo aquilo que lhes podia dar. Outros O perseguiam. Todavia, Ele estava sempre caminhando de um lado para outro e ninguém O detinha. Você, como líder cansado e muitas vezes exausto, deve se perguntar: "De onde vinha tamanha força?" Da oração. "De madrugada, quando ainda estava bem escuro, Jesus se levantou e saiu rumo a um lugar deserto. Lá ele orava" (Mc 1,35).

Para bem exercer sua liderança, nunca deixe de suplicar em suas orações pessoais: "Senhor Jesus, vem fazer parte de minha vida, ilumina-me com Tua luz, caminha comigo, pois somente Contigo é que posso cuidar de mim, de meus irmãos e da missão que me confiaste".

Reze em comunidade

Não vivemos isoladamente, mas em comunidade. Como pessoa, como grupo e como Igreja, somos, cada um, partes do grande Corpo Místico de Cristo (Rm 12,4-5). Por isso, além da oração pessoal, precisamos rezar e celebrar com a comunidade, participando das santas missas, de encontros e retiros espirituais, que são grandes mananciais de abastecimento.

Não pode ser líder cristão quem não tem espírito comunitário e não coopera para promover a vida em comunidade. A oração em grupo não deve ser apenas um entre outros itens da pauta de cada reunião, muitas vezes deixada para o final, mas sim o principal momento no qual os corações se abrem a Deus, entram em sintonia com Ele e se deixam iluminar, alimentar e fortalecer. Numa reunião de uma hora, não seria nada mau se pelo menos de 10 a 15 minutos fossem dedicados a uma oração bem preparada com dinâmica, leitura bíblica e música, quando possível.

As orações formuladas são importantes e de grande riqueza espiritual, mas é preciso mais: que as pessoas aprendam também a ficar em silêncio e a se expressar espontaneamente. Por vezes, longos textos de leituras espirituais, lidos em grupo, são cansativos, favorecem a dispersão e deixam muito pouco no coração.

A oração e a espiritualidade nos aproximam de Deus e das pessoas, sobretudo daquelas com quem trabalhamos. O perdão, a ama-

> "Quem sabe rezar bem, sabe também viver bem."
> Santo Agostinho

bilidade, a compreensão e a misericórdia prevaleceriam bem mais no coração de muitos líderes e em seus grupos, se eles rezassem mais. Está difícil liderar? A convivência com seu grupo está complicada? As pessoas se confrontam e se magoam? Prevalecem a discórdia e as disputas internas? A caminhada não sai da mediocridade? Então, já passou da hora de você se perguntar: **Temos cuidado de nossa espiritualidade?** A oração tem sido suficientemente valorizada em nosso meio? Há quanto tempo não rezamos de verdade? Normalmente, nos damos mal e cambaleamos quando colocamos os nossos próprios métodos em primeiro lugar, pois falamos demais e Deus fala "de menos".

Reze por seus liderados diretos

"Por eles é que eu rogo. Não rogo pelo mundo, mas por aqueles que me deste" (Jo 17,9). Jesus rezou por todos os que aceitaram segui-lo, gente de seu tempo e do futuro. Até mesmo nós fomos contemplados na oração sacerdotal de Jesus. Você intercede em favor dos liderados que Deus lhe confiou?

3. Espiritualidade: a base do bom líder

É triste perceber que muitos líderes cristãos trabalham com afinco pelo bem de suas ovelhas, porém geralmente não rezam em favor delas. Esquecem-se de incluí-las em suas orações. Não deixe que isso também aconteça com você.

Alguns líderes são tão zelosos nesse sentido que tornam seus liderados grandes parceiros de oração, rezando ao lado deles no dia a dia. Uma prática que, sem dúvida alguma, cria unidade, fomenta a comunhão, e lhes permite conhecer de perto o coração de suas ovelhas.

Aliás, não seria bom parar a leitura, por alguns minutos, e interceder a Deus por cada uma das pessoas que fazem parte de seu grupo evangelizador?

Fé conectada à vida

A espiritualidade, portanto, não tem por finalidade colocar o ser humano numa redoma e distanciá-lo do mundo. Se isso acontecesse seria uma alienação totalmente fora de propósito, seria uma fuga! Não se vive a cristandade fugindo, muito menos se lidera sem conexão com a realidade. A espiritualidade nos aproxima do divino e do humano, do céu e da terra, ajuda-nos a ver o Deus bom e amoroso em todas as pessoas, em todas as circunstâncias, e a agirmos como Ele mesmo agiria em nossa vida cotidiana.

> A espiritualidade significa que nós podemos apelar para alguma coisa mais abrangente que nos sustenta – que independe das confusões externas e das fraquezas humanas – para algo que em nossa cultura chamamos de "Deus". Sempre estivemos e sempre estaremos ligados a essa dimensão religiosa e espiritual, e a todo momento podemos ativá-la e pô-la em prática. E a espiritualidade não pode desvincular-se do profano nem do cotidiano. Ela, pelo contrário, se manifesta no cotidiano e nos lugares em que nos encontramos, sendo vivida no "agora", em todos os momentos. Oração e

meditação são exercícios religiosos importantes, nos quais nós conscientemente retornamos a essas raízes espirituais. Podemos usá-las para nos abastecer, para "recarregar nossas baterias", mas é no trabalho diário e na convivência com as pessoas com quem lidamos "aqui" e "agora" que os exercícios espirituais produzem seus verdadeiros frutos. O que importa é a atitude espiritual a partir da qual nós agimos. A espiritualidade pode ser vista quando pessoas comuns realizam trabalhos inteiramente comuns de uma forma extraordinariamente incomum (GRÜN & ASSLÄNDER, 2014).

4
O velho e o novo jeito de liderar

Muitos princípios de liderança evoluíram, especialmente ao longo das últimas décadas. É só você iniciar a leitura da primeira edição de qualquer livro de relações humanas lançado no início da década de 1980 para ver isso na prática. A linguagem, as recomendações e os indicadores de sucesso ali descritos podem até ser antagônicos em relação àquilo que se lê hoje em dia como "o correto a fazer".

Contudo, modelos de gestão bem distintos ainda convivem com certa harmonia nas empresas, organizações não governamentais, entidades civis e igrejas. Converse com diferentes líderes sobre a filosofia que os guia e constatará isso na mesma hora.

Para fins didáticos, vamos estudar as características de cada uma das duas principais filosofias de liderança que encontramos Brasil afora.

O velho jeito de liderar

Não é segredo para ninguém que a Igreja Católica foi construída dentro de um modelo hierárquico de comando e controle, condizente com o padrão da sociedade de alguns séculos atrás. Algo próximo daquilo que hoje chamamos de "manda quem pode e obedece quem tem juízo".

Durante muito tempo, quase tudo na vida foi assim. Crianças não ousavam contestar os pais em casa, tampouco os professores na sala de aula, sob pena de serem severamente punidas. No trabalho, o que o chefe dizia era lei. E na Igreja algo semelhante acontecia: o padre falava e todos abaixavam a cabeça; afinal, a autoridade moral, religiosa e formal do sacerdote quase sempre desestimulava o contraditório. A liderança estava alicerçada no **poder legítimo** e na **autoridade formal**, grande parte das vezes.

O fato é que a sociedade evoluiu para relações mais igualitárias e não podemos permanecer paralisados no tempo. É claro que a Igreja possui um governo hierárquico e tradicional que realmente funciona, e já está mais do que provado que a democracia não é eficaz em alguns contextos, especialmente no religioso, que lida com verdades eternas e dogmas não dependentes da aprovação popular. Contudo, exigir obediência cega dos liderados, centralizar a tomada de decisão em uma ou duas pessoas e ser intolerante com quem comete pequenas falhas só distancia as pessoas da comunidade. É preciso influenciar com diálogo e argumentos e não com imposições e autoritarismo.

Nem todos os líderes religiosos que conduzem seus grupos do velho jeito são autoritários. Alguns preferem exercer a liderança alicerçados em **barganha**, a fim de conquistar a adesão dos outros graças a promessas de recompensa. "Se você fizer X, vai poder pregar no próximo encontro" ou, então, "Se não faltar às reuniões de agora em diante, vou indicá-lo para me suceder no ano que vem". Você já deve ter presenciado esse tipo de situação em algum lugar.

O fato é que, em ambos os casos, ou provocando temor ou prometendo incentivos, o que esses líderes querem é manter o controle.

Na visão deles, bom liderado é aquele que abaixa a cabeça, faz tudo o que se lhe pede, sem questionar ou resistir a quem comanda.

Esse tipo de líder quer ser servido. Costuma se colocar num pedestal, muito distante dos liderados. Posiciona-se como um semideus, acima do bem e do mal. Tende a se considerar melhor que os outros e não aceita ser questionado. É assim que acha que deve ser respeitado. Enxerga a liderança como um símbolo de *status* na comunidade.

Mas, como já dissemos, vivemos novos tempos. A sociedade evoluiu e as pessoas mudaram. Hoje, quem dedica tempo ao trabalho pastoral espera ser bem acolhido por seus dirigentes e tende a se afastar quando isso não ocorre.

Por isso a expectativa sobre as lideranças é muito maior. As pessoas querem que o padre, os religiosos e os líderes leigos mais próximos as conheçam e as chamem pelo nome. Esperam que os coordenadores convoquem reuniões, dialoguem, e que as decisões importantes sejam tomadas coletivamente.

Não há mais espaço, portanto, para o líder que espera ser servido. Agora, precisamos verdadeiramente nos tornar líderes servidores que se guiam pelo conhecido adágio: "Quem não vive para servir, não serve para viver".

O novo jeito de liderar

Como você deve ter percebido, aquilo que chamamos de velho jeito de liderar diz respeito a uma filosofia de gestão desgastada e não à idade do líder ou ao período temporal em que alguém esteve à frente das coisas na paróquia.

Portanto, quando utilizamos o termo "velho" não estamos nos referindo àquilo que é tradicional ou antigo e sim a um modelo considerado claramente ineficaz neste início de século XXI, mas que infelizmente ainda perdura em todos os rincões do país.

Quinhentos anos atrás, havia muitas pessoas liderando do velho jeito e outras que já ousavam conduzir suas comunidades fundamentadas em princípios que chamamos de "novos", mas que a sociedade e a própria Igreja incorporaram apenas nos últimos anos.

Para compreender de verdade o que é o novo jeito de liderar, precisamos recordar as grandes lições que o próprio Cristo nos ensinou 2000 anos atrás. Ao lavar os pés dos apóstolos e fazer refeições em meio a pecadores e cobradores de impostos, o maior líder de todos os tempos demonstrou humildade, colocou-se a serviço do próximo, foi capaz de agregar e influenciar sem imposições ou ameaças (Jo 13,12-17).

Ou seja, como líder você deve olhar para aquilo que as pessoas precisam e não buscar atender antes as próprias carências. Tem de investir em uma relação mais próxima com o outro, colocando-se como amigo, companheiro e servidor.

No novo jeito de liderar, em vez de ditar ordens e ameaçar, o gestor pactua, com cada liderado, o papel e os objetivos específicos a serem cumpridos; no lugar de punir, prefere dar *feedback* e acompanhar o trabalho de perto; não se esforça para flagrar os outros fazendo algo errado, pois prefere caminhar junto, ajudando-os a realizar um bom trabalho.

É o tipo de líder que cobra, mas também elogia. E o mais importante: seus liderados cumprem o combinado não porque temem represálias, mas porque sabem e querem fazer aquilo que é certo. Não se sentem obrigados e sim motivados a desempenhar bem a missão.

4. O velho e o novo jeito de liderar

	Velho jeito de liderar	**Novo jeito de liderar**
Objetivo	Manter as pessoas sob controle rígido.	Conquistar a adesão e o compromisso das pessoas.
Práticas	Imposições de todo tipo visando mostrar quem manda.	Clareza quanto aos objetivos e transparência absoluta em todos os momentos.
	Ameaças e repreendas àqueles que cometem erros ou se rebelam.	Responsabilidade compartilhada com os liderados nos fracassos e celebração conjunta das vitórias.
	Promessas diversas para motivar o resultado de curto prazo.	Propósito inspirador e princípios motivadores que perdurem ao longo do tempo.

Quadro 1: Diferenças entre o velho e o novo jeito de liderar

Mas, afinal, como saber qual paradigma guia a sua liderança?

Se você quer saber de verdade se a sua liderança está baseada no velho ou no novo jeito, é só prestar atenção àquilo que os liderados fazem e como se comportam **quando você não está por perto**.

Se tudo continua caminhando muito bem, mesmo sem a sua presença, com certeza a sua liderança é eficaz e inspirada no modelo de Jesus. Mas se as coisas simplesmente ficam paradas à espera de um comando e se, sem você, nada progride, é hora de repensar a sua forma de conduzir o grupo comunitário.

Outra coisa: **quando as pessoas erram**, costumam contar o ocorrido ou preferem esconder as falhas? Se existe abertura para confessarem os fracassos momentâneos, significa que não temem sofrer punições se cometem algum deslize. Claro que você, como líder, não vai relevar tudo – nem pode. Mas abrir um espaço de diálogo para correção dos erros faz parte do novo jeito de liderar.

Além disso, você percebe que tem conduzido bem o grupo quando **as pessoas aceitam ser guiadas**, sem a necessidade recorrente de empreender grandes esforços. É possível saber se você tem sido um bom líder, também, pelo modo como os liderados o olham e observando se eles costumam reproduzir seus passos.

Liderar do velho jeito é ineficaz? Não, necessariamente. O líder pode até conquistar os objetivos e metas traçados, porém não terá em seu entorno pessoas criativas, que promovem ações e abraçam a causa de verdade. Terá apenas subordinados dependentes de suas ideias, decisões e ordens.

Nunca é demais lembrar que buscamos viver em uma sociedade mais igualitária. Por isso, quando as lideranças se impõem de forma muito agressiva, tornam-se antipáticas e afastam as pessoas da comunidade e de Deus. São um verdadeiro contratestemunho.

O trabalho de liderança dentro da Igreja é muito delicado. Não existe um processo seletivo para escolher os melhores candidatos, como ocorre nas empresas. Mas, assim como nas corporações, ao ocuparem uma posição de destaque na paróquia, as pessoas podem cair na tentação do estrelismo. Muitas tentam se "autoiluminar", chamar as atenções para si e até se esquecem da própria missão.

Coordenadores paroquiais devem trabalhar sem buscar reconhecimento ou elogios. Liderar de uma maneira que as pessoas de fora não percebam – nem se preocupem em saber – quem são os líderes formais da comunidade. Resumindo: precisam "ser" líderes na acepção da palavra, em vez de simplesmente "estar" líderes.

5
Praticando a liderança servidora

Temos a missão de liderar outras pessoas com a disposição de doar-lhes nosso melhor. Caso contrário, não passaremos de líderes medíocres.

Ao longo do tempo, infelizmente, todos nós encontramos gestores equivocados que costumam dizer: "Agora eu também tenho de ser *psicólogo* do meu grupo? Daí, já é demais!" Apenas uma forma indireta e debochada de afirmar o mesmo que: "Eu não me importo de verdade com as pessoas para perder meu tempo com elas".

> Quem não serve, não serve.

Mas como se tornar um líder servidor, diante de tudo o que foi dito até o momento?

Primeiramente, saiba que ser um líder servidor não tem nada a ver com rebaixar-se ou se sujeitar àquilo que seus liderados querem que você faça; isso é assumir o papel de tolo. **Servidor é quem se torna acessível e se coloca a serviço das pessoas com o interesse genuíno de criar valor para elas, sejam subordinadas ou não.**

É isso mesmo: também podemos ser líderes servidores enquanto atendemos pares (outros coordenadores paroquiais, por exemplo) e superiores (seu pároco, seu bispo, seu superior religioso ou seu coordenador, entre outras autoridades da Igreja). Você só tem de compreender que, dependendo da posição que essas pessoas ocupam, as expectativas delas sobre seu trabalho serão muito diferentes. Ou seja, é preciso ser flexível o suficiente para adequar a forma de agir. Vejamos:

Liderança para cima

Já que não temos controle sobre as pessoas que estão acima de nós em uma organização hierarquizada, elas podem se negar a ser influenciadas por aquilo que fazemos ou dizemos. Nesse caso, como se portar?

É preciso tornar-se, aos olhos do "chefe", uma importante fonte de apoio e suporte ao trabalho dele. Alguém que compreenda e valorize as prioridades estratégicas e ainda saiba exercer um papel relevante para que as coisas se desenrolem.

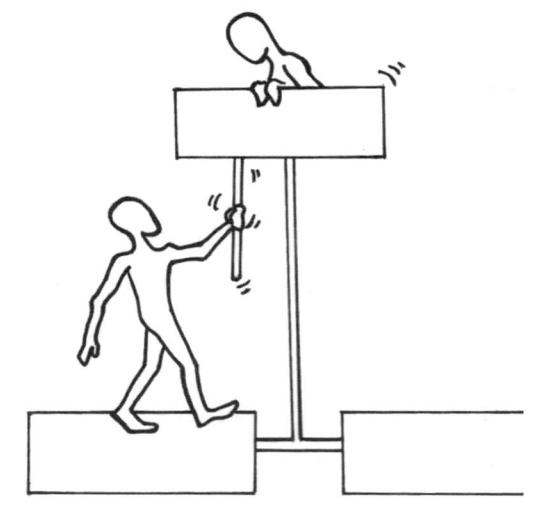

Explicamos: quando alguém hierarquicamente superior o enxerga como um liderado imprescindível para que o trabalho seja frutuoso, certamente poderá negar-se a atender as solicitações de inúmeras pessoas, mas dificilmente você estará incluído no rol delas. E ele agirá assim não porque pretende protegê-lo e sim porque reconhece seu valor e o vê como um escudeiro confiável.

Mas, como se tornar uma fonte de suporte para o líder imediato? Você deve praticar três atitudes:

- *Ajude-o a ter êxito.* Para isso, pergunte o que você pode fazer para facilitar o trabalho dele; quando encontrar um problema, proponha uma solução; diga a ele o que precisa ouvir, com discernimento e sinceridade, mesmo que a conversa não seja tão agradável; e, sendo possível, apresente ideias que o aproxime de suas metas.
- *Faça aquilo que ninguém mais quer fazer.* Poucas coisas conquistam o apreço do superior mais rapidamente do que liderados que se esforçam para cumprir aquele tipo de trabalho que a maioria das pessoas não aprecia executar. Secretariar uma reunião, por exemplo.
- *Mantenha um bom relacionamento com ele.* É praticamente impossível influenciar alguém com quem não conseguimos nos entender, ainda mais se esse alguém é o próprio chefe. Para isso, não precisa ser pegajoso nem bajulador, mas um aliado que age com bom senso, autenticidade e comprometimento. Às vezes, o maior problema de liderar para cima é que não existe qualquer "química" entre quem tem uma boa ideia e aquele que possui o poder de aprová-la ou não.

Liderança para os lados

Também é possível e necessário servir àqueles que são nossos pares dentro da estrutura organizacional da Igreja. Estamos falando exatamente de pessoas que realizam o mesmo tipo de trabalho que você, mas em outra pastoral, movimento ou serviço. E o mesmo raciocínio vale para quem é diácono ou pároco.

Muitas vezes, líderes católicos esquecem da importância de criar um ambiente de parceria com outras lideranças da comunidade ou diocese e, em vez disso, ainda alimentam um clima de competição totalmente incompatível com a fé cristã (Gl 5,15). E o que mais chama atenção é o fato de que essas pessoas quase sempre estão bem-intencionadas, mas ignoram atitudes simples que podem transmitir o espírito do "tamo junto".

Um grupo evangelizador é apenas uma parte do todo, do grande Corpo Místico de Cristo que é a Igreja. Há planos pastorais, projetos evangelizadores e festividades que precisam da adesão, participação e comprometimento de gente de todos os grupos e faixas etárias, não somente para serem executados, mas, antes, para serem sugeridos, refletidos e planejados. **Um dos sinais da maturidade espiritual e pastoral de uma comunidade é a capacidade de todos se unirem em prol de projetos de maior amplitude.**

Há também situações em que um grupo, ou mesmo um líder, pode estar enfraquecido ou enfrentando dificuldades, sem saber resolvê-las. É nessa hora que outros líderes, ainda que de diferentes grupos, devem se mostrar companheiros e oferecer solidariedade e ajuda, vivendo assim o mesmo espírito de "solicitude por todas as igrejas" que movia São Paulo: "Quem fraqueja, que eu também não fraqueje? Quem tropeça, que eu não me incendeie?" (2Cor 11,28-29).

As pistas a seguir já foram testadas e funcionaram! Por isso, recomendamos:

- Quando sugerir alguma ideia, respeite o tempo que seus pares precisam para acolhê-la de bom grado. Não implore o apoio deles na hora.
- Não exija a autoria das ideias, projetos e resultados.
- Evite todo e qualquer sinal que demonstre que você quer conquistar sucesso à custa de outras lideranças; caso contrário, é bem provável que se torne alvo de inveja e pouca colaboração.
- Faça pequenas concessões, quando necessário, para que as pessoas entendam que você também se preocupa com aquilo que elas dizem e os interesses principais da comunidade sejam preservados.

Para influenciar pares tendo em vista a ajuda recíproca, a união de forças e o alcance de um bem maior, não existe outro caminho senão transmitir sinais claros de que realmente os vemos e os tratamos como irmãos. Muitas vezes, as pessoas estão imbuídas de boa vontade, mas, infelizmente, transmitem suas intenções de forma equivocada ou ignoram o quanto lideranças resistentes a "elas" podem obstruir o plano que Deus tem para a comunidade. Pense nisso!

Liderança para baixo

Quando você tem subordinados diretos, o exercício da liderança servidora passa, primordialmente, por sua capacidade de mostrar que cuida deles e se importa de verdade com tudo o que lhes acontece, seja algo pequeno ou grande. A falta de zelo é o pecado maior de qualquer líder de grupo.

Ao longo dos anos, é bem provável que você tenha conhecido coordenadores que alardeavam o baixo comprometimento de quem fazia parte de seu grupo, sem ao menos saber direito o nome das pessoas que trabalhavam ao lado deles na messe. Como esperar uma postura diferente desses liderados diante de um líder tão descuidado?

Tenha em mente que você só descobre a riqueza que existe nas pessoas que Deus confia à sua liderança se está disposto a se aproximar delas com interesse genuíno e de modo amoroso.

Jesus conseguiu exercer uma excepcional liderança sobre seus discípulos porque proporcionou a eles a oportunidade de se tornarem parte de algo maior, o projeto do Reino de Deus. Exatamente aquilo que nós também precisamos fazer se quisermos ser líderes que realmente atuam como servidores de seus liderados.

> "Se é dar ânimo, que assim faça; se é contribuir, que contribua generosamente; se é exercer liderança, que a exerça com zelo; se é mostrar misericórdia, que o faça com alegria."
>
> (Rm 12,8)

Resumindo...

A liderança servidora tem como fundamento o propósito de atender as necessidades daqueles com os quais lidamos na comunidade, sejam eles liderados, pares, superiores ou gente que não está ligada a nós por algum tipo de relação hierárquica. E o principal: aproxima-nos de Jesus; afinal, essa também foi a filosofia de liderança que guiou o Mestre durante sua vida pública.

5. Praticando a liderança servidora

Uma ótima notícia que ainda temos é que você pode utilizar esse mesmo aprendizado como guia para servir a sua própria família. Confira a figura a seguir:

Figura 3. Liderança servidora na família

6
Papéis-chave na gestão

Embora o termo gestor seja muito usado no dia a dia das empresas, ele também se aplica a quem está à frente de um trabalho evangelizador. Como pároco ou coordenador de um grupo, movimento ou serviço paroquial, você tem de cumprir, simultaneamente, três diferentes papéis de gestão: de **líder**, de **administrador** e de **mentor**. Vamos entender o que significa cada um deles:

Figura 4: Papéis-chave na gestão

Líder

Já falamos que liderar é influenciar. Mas como conquistar as pessoas a ponto de motivá-las a realizar atividades de que jamais acreditariam ser capazes? A resposta é: mantendo um bom relacionamento com elas e agindo de modo inspirador.

Bons líderes são aqueles que reconhecem o valor dos liderados, motivam as pessoas a dar o melhor de si no trabalho pastoral e conseguem fazer com que todos se sintam importantes na caminhada de fé. Além disso, são capazes de estabelecer convergência de propósitos e união de forças.

É claro que você dificilmente conquistará o apoio, a adesão e a aprovação de todos desde o primeiro momento. Isso leva tempo e dependerá muito do tipo de comportamento que teve como liderado. Se era uma pessoa muito fechada, mandona, mal-humorada ou extremamente crítica até semanas atrás, certamente a imagem negativa ainda perdurará por algum tempo na cabeça de quem você agora precisa liderar.

Mas, a boa notícia é que, de forma geral, as pessoas desejam aproximar-se e manter uma boa relação com seus líderes. Por isso, seja paciente até que os liderados passem a confiar em você – se acabaram de conhecê-lo – ou em sua nova postura, caso esteja passando por um processo de transformação em que o objetivo maior é reconquistar a confiança de pessoas que já contabilizam experiências negativas com você.

Entenda que construir relacionamentos não significa ser o melhor amigo de cada integrante do grupo pastoral, mas sim aproximar-se suficientemente de todos com o objetivo de criar uma atmosfera de amizade, respeito mútuo, confiança e unidade.

Administrador

Não basta cuidar das pessoas. Como gestor, você terá de aprender a administrar muito bem o que lhe foi confiado na paróquia. Deverá, portanto, ater-se ao planejamento, à organização, à direção e ao controle de tudo o que está sob sua responsabilidade.

Um bom administrador é aquele que consegue executar os projetos no prazo estipulado e com o mínimo de recursos; que é capaz de cumprir pontualmente as tarefas rotineiras e aquelas que surgem no meio do caminho. Ou seja, quem equilibra as diferentes demandas.

O que não significa, necessariamente, que deve ser sempre você quem coloca a "mão na massa". Quando delega ao seu grupo o cumprimento de uma importante tarefa relacionada à missão pastoral, por exemplo, você se revela um bom administrador.

É por isso que ser organizado, ter apreço pelo planejamento, saber cuidar dos detalhes e monitorar os progressos são atitudes importantíssimas. Não basta apenas motivar as pessoas. É necessário mostrar a elas os passos que precisam ser dados a fim de garantir o alcance dos objetivos.

Além disso, não esqueça de criar um *checklist*[4] sempre que for cumprir qualquer trabalho importante. Antes de sair com o grupo no intuito de enfeitar as ruas para a celebração de *Corpus Christi*, por exemplo, certifique-se de que estão levando todos os materiais necessários e, se a madrugada estiver muito gelada, providencie um café quentinho. Pequenos atos demonstram sua preocupação e cuidado com o trabalho, mas principalmente com as pessoas.

---

[4] *Checklist* é uma palavra em inglês, que significa "lista de verificações".

Mentor

O terceiro e último papel do coordenador paroquial tem a ver com a disposição e habilidade de promover o desenvolvimento das pessoas que integram seu grupo. Afinal, você não será líder "para sempre". Precisa preocupar-se em formar sucessores, capazes de assumir a posição de liderança quando seu mandato terminar, a fim de que o bom trabalho desenvolvido tenha continuidade.

Dentro do ambiente paroquial, isso quer dizer que você, como coordenador de grupo, deverá atuar também como formador, orientador ou guia das pessoas que possuem dificuldades para cumprir as tarefas comunitárias rotineiras ou assumir novas responsabilidades.

As pessoas, de maneira geral, ficam motivadas e satisfeitas quando percebem que estão progredindo humana e espiritualmente graças ao trabalho que desenvolvem na Igreja. E, além disso, ao serem desafiadas a desempenhar atividades não corriqueiras, sentirão que têm a confiança do seu mentor.

Com o passar do tempo, muitas acabam descobrindo que são mesmo capazes de avançar ainda mais em compromissos e responsabilidades. Percebem que podem dar uma contribuição diferente, agregar. E isso só acontece porque foram conduzidas e orientadas por alguém inspirador lá no início.

✳ ✳ ✳

Neste capítulo, procuramos apresentar resumidamente os três papéis-chave da gestão; afinal, todo aquele que coordena algum tipo de trabalho na Igreja precisa exercer sua missão integralmente. Nas partes 3, 4 e 5 deste livro ("Relacionamento com as pessoas", "Fazendo as coisas acontecerem" e "Capacitando sucessores"), cada um dos capítulos aprofunda em detalhes as questões práticas que envolvem os trabalhos de líder, administrador e mentor.

Parte II

Liderança nas paróquias

7
A organização paroquial

O primeiro passo para compreender o papel dos líderes na Igreja é conhecer um pouco da estrutura organizacional paroquial e quem são seus dirigentes. Você entende as diferenças de atuação dos grupos pastorais, movimentos e serviços? Afinal, o que é uma paróquia e quem responde por ela?

Muita gente trabalha durante anos dentro de comunidades católicas sem ter a noção de como elas funcionam de verdade e como estão relacionadas. Para começar, temos de entender, primeiro, alguns conceitos importantes que ajudam a explicar a organização administrativo-pastoral da Igreja Católica:

Quanto à estrutura

– **Diocese.** "É uma porção do povo de Deus confiada ao pastoreio do bispo com a cooperação do presbitério" (CDC 369), também denominada *Igreja particular*, bispado e sede episcopal. Somente o papa pode erigir dioceses (CDC 373), delimitar seu território geográfico (CDC 372) e escolher seus bispos (CDC 377). Para efeitos civis, em nível organizacional, financeiro, patrimonial e outros, a diocese é inscrita no Cadastro Nacional de Pessoa Jurídica – CNPJ (CDC 373).

– **Arquidiocese.** É a sede de uma **Província Eclesiástica**, constituída "... para promover a ação pastoral comum de diversas dioceses próximas, de acordo com as circunstâncias de pessoas e lugares, e para estimular as relações dos bispos diocesanos entre si" (CDC[5] 431). Não há subordinação das dioceses às arquidioceses, nem dos bispos aos arcebispos. Trata-se apenas de uma organização que pode ter bons efeitos no que se refere à articulação episcopal, do clero e de outras lideranças, com finalidades formativas, pastorais, sociais e evangelizadoras. Apenas para ilustrar, no estado do Paraná existem quatro províncias eclesiásticas: Curitiba, Londrina, Maringá e Cascavel. A Província Eclesiástica de Londrina, além da própria sede, é composta pelas dioceses de Jacarezinho, Cornélio Procópio e Apucarana.

– **Prelazia.** De natureza pessoal ou territorial, sua constituição pode se dar por diversos motivos e apresentar várias nuances. O conceito que aqui destacamos refere-se à "Prelazia Territorial": uma circunscrição eclesiástica erigida pela Santa Sé, para atender as necessidades pastorais e evangelizadoras em um território. São similares às igrejas particulares (dioceses) e também precisam ter personalidade jurídica (CNPJ). De acordo com o Código de Direito Canônico (Cân. 370), "é confiada a um Prelado que a governa como seu próprio pastor", à semelhança do bispo diocesano. Conforme determina o estatuto da instituição emitido pela Santa Sé, o cargo pode ser exercido em caráter temporário ou vitalício. As prelazias territoriais não são, necessariamente, território de transição para a categoria de diocese. Na Itália existem as prelazias territoriais de Pompeia e Loreto, constituídas em caráter estável. No Brasil, entretanto, a maior parte das prelazias foi constituída em áreas de missão, sobretudo na região amazônica, onde não existiam as condições mínimas para se-

---
[5] Código de Direito Canônico.

rem dioceses, tais como clero próprio e substrato econômico. Nos últimos anos, com o devido desenvolvimento, muitas prelazias brasileiras conquistaram a autonomia necessária e se tornaram dioceses, alteração que somente o papa pode conceder. Atualmente, restam menos de 10 prelazias em todo o país.

– **Paróquia.** Área delimitada geograficamente pelo bispo diocesano conforme as necessidades pastorais da região; é confiada aos cuidados de um pároco. Cada unidade paroquial pode possuir uma igreja matriz e também capelas, ou pequenas comunidades setorizadas, ou diaconias, ou Comunidades Eclesiais de Base (CEBs). Tanto quanto a diocese, uma vez criada, a paróquia também é inscrita no CNPJ (CDC 515, § 3º) e normalmente é uma extensão (filial) da inscrição diocesana.

– **Capela, comunidade e diaconia.** Dizem respeito a pequenas comunidades da área rural ou urbana que integram a paróquia, nas quais o povo vive e celebra a sua fé, participa de encontros e reuniões de cunho evangelizador e social, celebra a santa missa e os demais sacramentos, e partilha a Palavra. Além disso, as pessoas se reúnem com o objetivo de articular esforços visando promover o bem de todos e reivindicam melhorias locais junto ao poder público.

– **Decanato ou forania.** São nomes distintos, conforme a preferência ou a tradição de cada região, de um determinado grupo de paróquias dentro de uma diocese, com o propósito de fomentar e favorecer ações comuns e de colaboração recíproca, tais como a articulação de trabalhos sociais e pastorais, o discernimento de projetos evangelizadores, cursos formativos, retiros, grandes encontros e celebrações, entre outras iniciativas. Os critérios para a formação e integração dos grupos são definidos pelo bispo diocesano e seus conselhos, que podem considerar afinidades ou motivos históricos, geográficos, sociais, econômicos e/ou culturais. O coordenador do decanato ou da forania pode ser denominado decano, vigário forâneo, vigário decanal, ou ter outra denominação, conforme o costume regional. Sua função deve ser exercida em comunhão e unidade com o bispo; seu mandato é temporário, conforme determinam as diretrizes diocesanas; e normalmente também é o representante de seu grupo de paróquias junto ao conselho presbiteral diocesano.

– Ordem religiosa. É qualquer instituto religioso, de homens ou mulheres, leigos ou clérigos, dedicados a diferentes atividades pastorais e religiosas, conforme o carisma, e cujos membros emitem votos solenes de consagração: pobreza, obediência e castidade. Para existirem e funcionarem como tal, precisam da aprovação oficial da Santa Sé. Seus membros são normalmente conhecidos como "religiosos" e as ordens chamadas de "congregações". No Brasil, possuem razão social e inscrição no Cadastro Nacional de Pessoa Jurídica (CNPJ), para efeitos civis em nível organizacional, financeiro, patrimonial e outros. Também cabe destacar que a administração de muitas paróquias é confiada pelo bispo diocesano, mediante contrato, a congregações religiosas, que ficam responsáveis por manter e substituir os párocos e vigários paroquiais. A qualquer tempo, uma congregação pode entregar a paróquia ao bispo e partir para outros lugares, bem como o bispo pode solicitar a devolução da paróquia. No espaço geográfico paroquial, com a autorização do bispo, as congregações, masculinas ou femininas, podem trabalhar especificamente com escolas, creches, hospitais, asilos, centros de espiritualidade, desenvolver ações sociais e evangelizadoras etc.

– CNBB. Conferência Nacional dos Bispos do Brasil, com sede em Brasília (DF), dela fazem parte todos os bispos do país; foi estabelecida para "exercer conjuntamente certas funções pastorais em favor dos fiéis de seu território, a fim de promover o maior bem que a Igreja proporciona aos homens" (CDC 447). Em 2014, existiam no Brasil 44 arquidioceses, 214 dioceses e 9 prelazias. Os bispos exercem seu pastoreio colegialmente, em comunhão e unidade com a Igreja universal, representada na pessoa do papa. Cada país tem a sua conferência episcopal.

– **CELAM.** Conferência Episcopal Latino-americana, organismo fundado em 1955 pelo Papa Pio XII, reúne as conferências episcopais da América Latina e do Caribe; dela faz parte a CNBB. Sua sede se localiza na cidade de Santafé de Bogotá, na Colômbia. As conferências gerais são uma prática de deliberação coletiva que reforça a colegialidade apostólica. Os pastores analisam a vida da Igreja em seus territórios, descobrem aspectos positivos e negativos, identificam problemas comuns e deliberam em conjunto sobre as soluções e linhas de ação pastoral. Até a presente data, já se realizaram cinco conferências gerais: Rio de Janeiro (1955), Medellín (1968), Puebla (1979), Santo Domingo (1992) e Aparecida (2007). O CELAM também presta serviços de contato, comunhão, formação, pesquisa e reflexão às suas 22 conferências episcopais.

Dirigentes e funções eclesiais

– **Papa.** Bispo de Roma. Sua Catedral não é a Basílica de São Pedro, como muitos podem imaginar, mas a Basílica de São João de Latrão. É herdeiro da missão que Jesus concedeu a Pedro (Mt 16,18), de liderar o colégio apostólico. Por isso, é vigário de Cristo, cabeça do colégio dos bispos, pastor da Igreja universal (CDC 331).

– **Cardeais.** São, na grande maioria, bispos escolhidos e constituídos pelo papa. Servem na Cúria Romana e na administração da Igreja. Muitos estão à frente do pastoreio de igrejas particulares (dioceses) em diferentes países. Quando reunidos no Colégio dos

Cardeais, são os conselheiros e os colaboradores mais próximos do papa; são também eles que elegem o novo papa depois da morte ou renúncia do predecessor. São também chamados de "purpurados", pela cor vermelho-carmesim da sua indumentária. O étimo do termo "cardeal" vem do latim (*cardo / cardinis*), e em português significa "gonzo" ou "eixo", algo que gira, nesse caso em torno do papa.

– **Bispos.** Sucessores dos Apóstolos. São pastores da Igreja constituídos pelo Espírito Santo, "a fim de serem mestres da doutrina, sacerdotes do culto e ministros do governo da Igreja" (CDC 375). Na Bíblia Sagrada, algumas menções aos bispos são encontradas em Fl 1,1; 1Tm 3,1-7; e Tt 1,7.

– **Presbíteros.** São os sacerdotes ordenados pelo bispo e seus colaboradores subordinados e dependentes com a missão de pastorear o rebanho do Senhor. Em torno do bispo, formam o "presbitério". São popularmente conhecidos como "padres", por serem considerados pais espirituais da comunidade de fé. Confira algumas passagens bíblicas que citam os presbíteros: At 14,23; 20,17; 1Tm 5,17; Tt 1,5; Tg 5,14.

– **Diáconos.** Assinalados pelo sacramento da Ordem, são configurados a Cristo, que se fez "diácono", isto é, servidor de todos. Cabe aos diáconos assistir o bispo e os padres na celebração dos divinos mistérios, distribuir a Comunhão, assistir ao Matrimônio e abençoá-lo, proclamar o Evangelho e pregar, presidir funerais e consagrar-se aos diversos serviços da caridade. Também podem exercer funções administrativas e pastorais quando solicitadas pela autoridade competente. A instituição diaconal se deu no episódio de At 6,1-6, quando os apóstolos oraram e impuseram as mãos sobre sete homens que deveriam ajudá-los no cuidado com as pobres viúvas. Outras menções bíblicas aos diáconos se encontram em Fl 1,1 e 1Tm 3,8-13.

– **Pároco.** Presbítero designado pelo bispo, é o sacerdote que, em unidade e comunhão com a Igreja diocesana, deve apascentar determinado rebanho paroquial (CDC 519).

– **Vigário paroquial.** Designado pelo bispo, quando necessário ou oportuno, é o cooperador do ministério pastoral paroquial, que oferece sua ajuda ao pároco, com quem deve trabalhar em harmonia (CDC 545).

Tipos de trabalho desenvolvidos nas paróquias

Agora que você já aprendeu um pouco mais sobre a estrutura hierárquica, organizacional e funcional da Igreja Católica, e percebeu que ninguém age sozinho nem atua isoladamente, vamos falar dos trabalhos realizados no âmbito das paróquias, que seguem a mesma dinâmica. Mais especificamente, sobre o que caracteriza as pastorais, os movimentos e os serviços, que normalmente estão na dianteira da caminhada espiritual e evangelizadora da Igreja.

– **Pastorais**

São grupos cujas ações estão fundamentadas na prática de Jesus "Bom Pastor" (Jo 10,10). A Igreja, imbuída do amor e da sensibilidade de Cristo, dirige seu olhar para pessoas e situações que requerem atenção e cuidado em sua ação evangelizadora. É assim que, por meio da Igreja, Jesus continua apascentando a humanidade nos trabalhos da Pastoral da Criança, Pastoral Carcerária, Pastoral Familiar, Pastoral da Juventude, Pastoral da Saúde, Pastoral da Pessoa Idosa etc.

A Pastoral da Criança, por exemplo, visa promover o desenvolvimento integral de crianças de 0 a 6 anos, principalmente as mais carentes, cujas famílias não possuem recursos suficientes para alimentação e remédios e precisam de cuidados especiais de saúde. Jesus, se estivesse fisicamente entre nós, não ficaria indiferente ao sofrimento e privações pelos quais passam muitas crianças. Da mesma forma, também nós não podemos ficar de braços cruzados.

– Movimentos

Estão ligados mais à vida pessoal dos participantes. Em geral, têm uma espiritualidade acentuada e seguem um carisma próprio, ligado à inspiração de seu fundador, do qual participa quem vivenciou encontros, retiros, ou uma experiência de oração ou de vida.

Normalmente, os movimentos nascem e se formam em um contexto externo à Igreja local, embora atuem nas paróquias. Depois de criados, reconhecidos e aprovados pela Igreja, são regidos por estatutos próprios; alguns possuem coordenações nacionais e internacionais.

Como exemplos de movimentos citamos o Cursilho, a Renovação Carismática Católica (RCC), o Curso Intensivo Vivencial do Casamento (CIVC), o Apostolado da Oração, a Legião de Maria, os Focolares, as Equipes de Nossa Senhora, o Catecumenato, os Adoradores da Eucaristia, entre outros.

– Serviços

São trabalhos que visam oferecer uma assistência religiosa, espiritual, formativa ou social diante das necessidades de pessoas ou grupos. Portanto, promovem o encontro com Deus, a fraternidade, o fortalecimento espiritual e a vida humana. São serviços eclesiais: o Encontro de Noivos aos que se preparam para o Matrimônio; o Encontro Batismal para pais e padrinhos; o Encontro de Legitimação Matrimonial para casais que ainda não receberam o Sacramento; a Escolinha Dominical para as crianças; o Encontro de Casais com Cristo (ECC); o Aconselhamento Familiar para famílias que precisam de orientação; obras assistenciais e cursos de conscientização, entre outros.

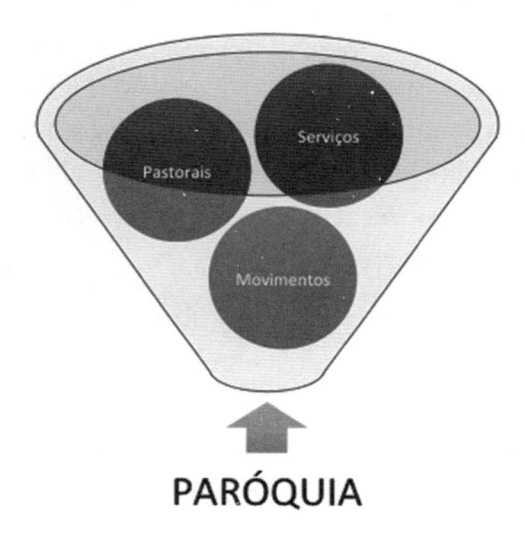

Figura 5: Âmbito da liderança paroquial

Onde entra a liderança?

Em todas essas "frentes", as dioceses, paróquias, ordens e associações religiosas necessitam de pessoas que coordenem os diversos trabalhos existentes. Ou seja, para que a missão evangelizadora se cumpra, é imprescindível que líderes católicos – consagrados, ordenados e leigos – estejam atentos às necessidades da Igreja e do povo, assumam seus papéis e trabalhem com zelo no dia a dia.

A atuação de uma liderança religiosa não se restringe a coordenar pequenos grupos de pastorais ou movimentos. É necessário haver, da parte do cristão, sensibilidade e solicitude para ajudar a sanar carências da Igreja em áreas que exigem qualificada preparação. Muitas pessoas podem ajudar bastante com sua experiência profissional, tais como contadores, administradores, advogados, engenheiros, arquitetos, assistentes sociais, psicólogos e outros.

O que ainda falta a várias dioceses, congregações, paróquias e entidades mantidas pela Igreja, para que deem um salto qualitativo em sua organização administrativa, pastoral, social e missionária, não são pessoas com boa vontade e capacitação. Precisam, sim, de uma melhor acolhida, do voto de confiança e da abertura da parte de padres, bispos, superiores religiosos e outros responsáveis para que os fiéis passem a colaborar.

Em 2001, com quase 50 anos de fundação, a Arquidiocese de Londrina tinha 70 paróquias, dois seminários, uma casa de encontros e uma livraria, mas até então não possuía uma contabilidade consolidada e em conformidade com a legislação fiscal brasileira. Graças à abertura do Conselho Econômico Arquidiocesano à participação de leigos católicos, deu-se início a um moroso e árduo trabalho de implantação de um sistema único e legal de administração. Para o bom êxito da necessária mudança foi imprescindível a colaboração de profissionais qualificados que, mesmo sem remuneração, não mediram esforços nem sacrifícios para modernizar a administração arquidiocesana. Isso também é discipulado e missão.

8
Liderança no contexto atual das paróquias

Hoje, a escassez de líderes para ajudar na condução do trabalho paroquial é uma constante reclamação de muitos padres, o que faz recordar a conhecida máxima de Jesus: "A messe é grande, mas os operários são poucos" (Lc 10,2).

Outra parcela de sacerdotes sabe que seu desafio não é colocar uma pessoa em cada uma das posições de coordenação nos dias atuais, uma vez que as cadeiras estão preenchidas. Eles precisam, sim, preparar pessoas para que sucedam essas lideranças no curto ou médio prazo.

Diversas paróquias, embora constituídas por pessoas muito boas, não podem se dar ao luxo de promover uma renovação periódica simplesmente porque não têm gente suficientemente preparada para liderar os grupos. Um exemplo prático: se a sua paróquia tem 30 pastorais, movimentos e serviços, no total teria que contar com pelo menos 30 diferentes líderes hoje e outros 30 *trainees*[6] em formação para substituí-los.

Essa é uma das razões que dificultam o "rodízio" de coordenadores na Igreja. Tais lideranças não costumam ser orientadas a prepa-

---

[6] *Trainee* é uma expressão geralmente utilizada para designar os cargos em empresas nos quais trabalham profissionais de alto potencial que ainda estão em processo de desenvolvimento.

rar sucessores e, às vezes, o próprio pároco se acomoda com a atuação delas. Afinal, fazem um bom trabalho ou pelo menos o necessário para que os grupos cumpram minimamente suas atribuições.

> "Por falta de direção cai um povo; onde há muitos conselheiros, ali haverá salvação."
>
> (Pr 11,14)

O fato é que muitas paróquias possuem uma grande carência de líderes, não por falta de gente, mas de gente preparada. Vários coordenadores se formam dentro dessas comunidades ao participar de grupos juvenis, por exemplo, e depois se tornam pessoas de expressão na paróquia, em sua profissão, na vida política e em outras esferas da sociedade, mas eles simplesmente *aconteceram*. Não são fruto de um processo contínuo de desenvolvimento de lideranças cristãs.

A difícil realidade de muitas comunidades

Infelizmente – e falamos disso com pesar –, em muitas paróquias o que existe é uma liderança envelhecida e cansada, incapaz de se renovar e indiferente às práticas de gestão de pessoas que poderiam facilitar o trabalho pastoral e evangelizador.

Além disso, é comum encontrarmos líderes que têm uma visão equivocada acerca de seu papel à frente da comunidade, não leem os documentos da Igreja, têm pouco contato com a Palavra de Deus e ainda por cima não procuram obter *feedback* algum sobre aquilo que fazem ou deixam de fazer.

Agora, perguntamos a você: **Como um coordenador que desconhece o conteúdo da sua missão pode realizar um bom trabalho?** Por isso, não é raro ver, em muitas comunidades, líderes de grupos serem totalmente dependentes do pároco, ou de outras pessoas mais bem preparadas, para a tomada de decisões. Junte-se a isso o fato de que alguns padres são centralizadores em demasia e o resultado final é que ninguém cresce para protagonizar o trabalho evangelizador.

Temos de concordar que muitas paróquias até reconhecem a importância de formar líderes, mas não dedicam esforços e recursos suficientes para capacitá-los de verdade. Nos dias de hoje, a administração e condução dos grupos, movimentos e serviços paroquiais dependem muito do bom senso de seus dirigentes.

A formação de lideranças deve ser uma preocupação constante dos párocos. Às vezes, uma tarefa não é tão complicada, mas a falta de pessoas capazes de coordenar o trabalho de forma adequada faz com que os desafios ou obstáculos adquiram uma proporção muito maior. Por falta de informação ou preparo, coisas simples não saem do papel, ou quando saem, resultam em desperdício de recursos.

Por onde começar?

Talvez essa seja a principal dúvida da maioria das pessoas conscientes da importância de desenvolver lideranças na Igreja. Com o propósito de ajudar a discernir caminhos, sugerimos três diferentes frentes a padres e formadores:

1 – Sensibilização e formação dos padres

O trabalho de conscientização deve começar no seminário, no tempo de formação dos futuros padres. É muito importante que eles aprendam em que consiste uma boa liderança, o que precisam fazer para se tornarem bons líderes e como deverão proceder amanhã para preparar futuras lideranças.

Afinal, depois de ordenados, geralmente eles é que estarão à frente do comando administrativo e pastoral de uma comunidade e deverão exercer papéis simultâneos em diferentes dimensões da liderança.

A atuação do papa Francisco, como líder máximo da Igreja, revela-nos a necessidade de os padres e religiosos exercerem uma liderança cada vez mais próxima da comunidade e voltada às pessoas. Uma influência que não se sustente apenas por estarem na posição privilegiada do altar ou ocuparem um cargo na hierarquia organizacional católica. E para isso acontecer é fundamental que, antes de mais nada, dediquem seu tempo a estudar e a ampliar seus conhecimentos sobre relações humanas e liderança.

2 – Cursos de capacitação nas paróquias

Além da atuação de padres bem preparados, é preciso que o calendário das paróquias preveja cursos de formação periódicos, com temas pertinentes, a fim de que o assunto seja abordado com frequência no ambiente da Igreja e que novos líderes sejam continuamente preparados para o trabalho pastoral ano a ano.

Sabemos que algumas paróquias possuem recursos escassos, mas essas capacitações devem ser vistas como investimento. Afinal, elas ensinarão os coordenadores, entre outras coisas, a administrar melhor os recursos destinados aos projetos da comunidade e como lidar com as pessoas que doam seu precioso tempo para o trabalho na Igreja. Um trabalho evangelizador protagonizado por gente bem preparada gera uma comunidade comprometida e que colabora mais, inclusive financeiramente.

3 – Discussão do tema em reuniões diversas

Cursos de formação de liderança promovidos de tempos em tempos são extremamente valiosos, mas insuficientes para o desenvolvimento contínuo dos líderes de uma comunidade. O assunto liderança também deve estar sempre na pauta das reuniões e encontros dos coordenadores, ainda que seja por meio de um artigo de jornal que fale sobre o tema ou aquele vídeo de cinco minutos retirado da *internet*.

Quanto mais se fala sobre um assunto, mais se aprende sobre ele. Além disso, momentos assim propiciam trocas de experiência entre pessoas que passam por situações semelhantes em seu dia a dia, impedindo que aquilo que foi ensinado nos retiros de formação caia no esquecimento. E o principal: trazem convicção aos líderes de que a comunidade leva a sério a capacitação deles.

Porém, o que fazer se o pároco não toma esse tipo de iniciativa e você parece não ter forças para influenciá-lo? Nesse caso, procure conversar com outras lideranças que compartilhem a mesma visão e elaborem juntos uma proposta de trabalho que possa ser apresentada ao sacerdote. Já presenciamos comunidades se transformarem porque uma simples palestra de liderança acabou servindo como o grande catalisador para que outras boas ideias de formação surgissem e, dali em diante, passassem a ser plenamente apoiadas pelo pároco.

9
O protagonismo dos leigos

O Concílio Vaticano II foi o grande responsável por abrir as portas da Igreja Católica para uma maior atuação dos leigos. Antes da série de conferências, realizadas na década de 1960, que se tornaram o mais importante acontecimento da Igreja no século XX, praticamente tudo o que acontecia em uma paróquia dependia quase que exclusivamente do padre.

Mas, ao contrário do que alguns possam imaginar, a Igreja não fez um favor ao criar espaço para o protagonismo dos fiéis. Só assegurou a eles o direito de ocuparem o próprio lugar, de serem discípulos missionários corresponsáveis no pastoreio do rebanho do Senhor.

A palavra **leigo** tem pelo menos duas definições, segundo o Dicionário da Língua Portuguesa: aquele que não recebeu ordens sacras ou que revela ignorância em relação a determinado assunto. Embora a primeira definição seja mais apropriada na linguagem eclesial, **fiel** é um outro termo que define bem o católico comprometido com sua fé, pois denota aquele que crê, que mantém fidelidade a Deus, e encontra uma bonita menção e definição no Código de Direito Canônico:

> Fiéis são aqueles que, por terem sido incorporados em Cristo pelo Batismo, foram constituídos em povo de Deus e por este motivo se tornaram, a seu modo, participantes do múnus sacerdotal, profético e real de Cristo e, segundo a própria condição, são chamados a exercer a missão que Deus confiou à Igreja para esta realizar no mundo (CDC 204).

Em seus ensinamentos, Jesus Cristo jamais disse que a Igreja era um reino apenas de sacerdotes à frente de um rebanho inerte e passivo. Ao escolher e enviar discípulos (Lc 10,1), deixou muito claro que todos somos filhos de Deus e protagonistas na missão de evangelizar. Assim, todos são chamados a ocupar seu espaço na comunidade e servi-la com os próprios carismas, dons e talentos.

É claro que nem sempre atuaremos em nossas paróquias cumprindo atividades semelhantes àquelas desempenhadas no âmbito profissional, porém, é benéfico que um cristão administrador ou contador, por exemplo, colabore com seus conhecimentos e experiências na administração paroquial ou diocesana. Ou então, profissionais de *marketing* e comunicação social ajudem a formular um projeto de comunicação para a paróquia, a promover suas atividades e serviços em arquivos impressos, *sites* e mídias sociais. Tudo isso supõe, é claro, a abertura dos bispos e dos párocos às novas vias de informação para a evangelização, sabendo valorizar os competentes profissionais que se encontram em seu meio e querem colaborar, dando-lhes oportunidade de contribuir. Jesus, no mundo atual, daria trabalho a essa gente e faria o melhor proveito possível de todos os meios que pudessem potencializar ainda mais o anúncio do Evangelho.

> "Trabalho é amor tornado visível."
> Khalil Gibran, filósofo e poeta libanês

9. O protagonismo dos leigos

Ser cristão e não voluntário

O termo voluntário vem do latim, *voluntarius,* que significa aquele que age por vontade própria. A ação voluntária, de pessoas que, com boa vontade, trabalham sem qualquer remuneração, é necessária, benéfica e construtiva para a sociedade. Todos conhecemos louváveis obras realizadas por ONGs, associações, fundações e clubes em prol da promoção humana, ambiental e outras.

Porém, ser cristão implica em mais do que isso. Assim como ninguém é voluntário quando colabora com os serviços dentro da própria casa, com sua família, o cristão não assume o trabalho pastoral, evangelizador e social como voluntário, mas como quem tem consciência de seu compromisso e da sua responsabilidade como batizado. A Igreja não faz um favor em dar oportunidade de ação ao batizado, e o batizado não faz um favor em aderir a um trabalho na Igreja, pois está apenas assumindo um compromisso inerente à fé recebida, assumida e professada. Se não se comprometer, será omisso, diferentemente de quem abandona uma obra social na qual era meramente voluntário.

> "Assim brilhe também a vossa luz diante dos homens, para que vejam as vossas boas obras e glorifiquem a vosso Pai que está nos céus."
>
> (Mt 5,16)

A tentação do "voluntariado cristão" é grande: a pessoa faz o que quer, quando e como pode, muitas vezes de qualquer jeito e sem organização, deixando a desejar quanto às suas obrigações, e no momento em que alguém pede contas é capaz de dizer *"Eu sou voluntário e é desta forma que eu faço as coisas. Se quiser bem, se não quiser procure outro".* Uma vez assumida uma responsabilidade na Igreja, a sua tarefa tem de ser priorizada do início ao fim, porque o trabalho desenvolvido é fruto do compromisso com Deus e com a comunidade, e eles merecem o melhor que se possa dar.

Mas é importante lembrar que não há mérito algum em fazer a coisa certa com qualidade e eficiência, nem tornamos Deus nosso devedor ao trabalharmos pelo bem da comunidade. Cumprir bem uma tarefa simplesmente denota consciência, responsabilidade, respeito, seriedade e competência da parte de quem coloca os talentos a serviço (Mt 25,14-30).

Somos todos servos inúteis?

No Evangelho de Lucas 17,7-10, Jesus nos fala:

> E qual de vós terá um servo a lavrar ou a apascentar gado, a quem, voltando ele do campo, diga: "Chega-te, e assenta-te à mesa?" E não lhe diga antes: "Prepara-me a ceia, e cinge-te, e serve-me até que tenha comido e bebido, e depois comerás e beberás tu?" Porventura dá graças ao tal servo, porque fez o que lhe foi mandado? Creio que não. Assim também vós, quando fizerdes tudo o que vos for mandado, dizei: "Somos servos inúteis, porque fizemos somente o que devíamos fazer".

Essa palavra aparentemente dura e ingrata é de uma riqueza inestimável para todos nós que fomos convidados a realizar um trabalho em nossa comunidade, como líder ou como simples servidor. Mas o que Jesus realmente quis nos revelar?

Primeiramente, "servo inútil" porque tudo devemos a Deus. "Sem mim nada podeis fazer" (Jo 15,5), disse Jesus. Sem Ele estaríamos perdidos, sem rumo nem direção. Segundo, que mérito tem um mero cumpridor de obrigações, que só faz o que é mandado (Lc 17,9) em troca de seu salário? Que mérito teria um cristão que vive apegado às leis e à observação dos preceitos evangélicos somente para salvar a própria pele, por medo do inferno ou para merecer retribuição? Servo bom é o que trabalha e faz o melhor que pode tão somente porque ama e quer o bem do outro, sem ter em vista recompensa. Quem ama não fica no mínimo necessário de suas obrigações. Vai além.

Quem é fiel, mas procura visibilidade e reconhecimento pelo que faz, assemelha-se aos fariseus. Sua obra perde em mérito, em pureza e em grandeza. O amor, a gratuidade e a verdade devem marcar as boas obras de quem tem fé. Jesus deu o melhor de si para a humanidade: seu sangue, a própria vida! E você, o que dá de si mesmo, de seu tempo, de seus dons e de seus recursos quando trabalha e lidera para Deus? Dá o melhor? Ou o que sobra e de qualquer jeito? Nós somos preciosos aos olhos de Deus, que pagou um alto preço para nos conquistar (Is 43,4). Precioso é quem dá o melhor de si. Deus Trino é precioso e a Ele devemos nos assemelhar.

Inútil é o mero cumpridor de obrigações em troca de pagamento ou reconhecimento. Não nos conformemos com a mediocridade de quem se atém à mesmice cotidiana. Que o Senhor nos conceda humildade para praticar uma boa, criativa, amorosa e gratuita liderança em comunidade!

10
O modelo de liderança de Jesus

Como não se inspirar em Jesus, o Mestre dos mestres? Aquele que, com a Boa Nova, conquistou multidões e continua influenciando gerações mais de 2000 anos depois; que soube trabalhar e acolher em seu grupo pessoas de diferentes nacionalidades, religiões e culturas; que sempre prosseguiu seu caminho, apesar das oposições, difamações e perseguições; que soube acreditar em pessoas muitas vezes simples, humildes, analfabetas e que viviam à margem da sociedade, tirando o melhor que podiam dar e colocando-as na linha de frente de seu projeto; que soube responder com sabedoria a cada desafio apresentado; que não se deixou vencer por nenhum obstáculo e jamais perdeu o foco, nem mesmo diante da violência da cruz. Ele é realmente o líder por excelência! Em tudo, uma referência para nossa vida.

Nunca foi o propósito de Jesus fornecer lições de organização, comunicação e de *marketing* ou promover técnicas persuasivas para a conquista de seguidores e resultados. Também não trabalhou para formar executivos. Ele quis apenas discípulos missionários que acolhessem a proposta do Reino e fossem suas testemunhas. Porém, de suas palavras, de seu jeito de ser, da forma como olhava o mundo e as pessoas, e de suas reações e atitudes diante das situações adversas que enfrentou, podemos tirar muitas lições para o que devemos ser como líderes.

Enumeramos a seguir algumas características que precisam ser assimiladas por quem deseja liderar de modo cristão:

1) Espiritualidade

Conforme abordamos no capítulo 3, a espiritualidade, cultivada com a prática da oração, com a leitura bíblica e a meditação, é fundamental para o bom exercício da liderança de si mesmo e de grupos, em qualquer âmbito, sobretudo no religioso.

Jesus, mesmo sendo Deus e estando intimamente ligado ao Pai, parou para falar com Ele muitas vezes em oração. Confira algumas das situações:

- Antes de iniciar sua vida pública, deixou-se conduzir pelo Espírito, passando 40 dias no deserto (Mt 4,1).
- Quando escolheu os 12 apóstolos (Lc 6,12-13).
- No alto do Monte Tabor (Lc 9,28).
- Para a multiplicação dos pães (Mt 14,19; Mc 6,41).
- Depois de enviar os discípulos para o outro lado do mar (Mt 14,22-23).
- Ao receber a notícia da morte de João Batista (Mt 14,13).
- Indo a um lugar deserto (Mc 1,35).
- Estando com os discípulos, a sós (Lc 9,18).
- Quando um dos discípulos lhe pediu que os ensinasse a orar (Lc 11,1).
- Antes da ressurreição de Lázaro (Jo 11,41).
- Para glorificar a Deus e pedir pela unidade dos que creem (Jo 17).
- Em suas provações (Mt 26,36).

- Das sete palavras proferidas na cruz, três foram orações: a favor dos que o crucificavam (Lc 23,34), em favor dele mesmo (Mt 27,46) e a dirigida ao Pai ao entregar Seu espírito (Lc 23,46).

Os apóstolos também foram homens de oração e recomendaram: "Orai sem cessar. Dai graças, em toda e qualquer situação, porque essa é a vontade de Deus, no Cristo Jesus, a vosso respeito" (1Ts 5,17-18). E nós, entendemos que nossa espiritualidade precisa ser cultivada e que a oração é uma grande aliada em nossa missão?

2) Mansidão

É outra grande característica da qual o Mestre é um exímio exemplo: "Aprendei de mim que sou manso e humilde de coração" (Mt 11,29). Pessoas sábias são mansas, conhecem a si mesmas e sabem se controlar para não se deixar inflamar pela ira, pela raiva, pelo nervosismo, pelo espírito de vingança. Pessoas mansas rejeitam o jogo do diabo, que é a divisão e a discórdia.

A falta de mansidão pode causar escândalos, decepções e afastar as pessoas. Um padre "pavio curto" e que se encoleriza facilmente deixa de exalar o perfume de Deus e pode fazer muito mal à comunidade. O mesmo vale para qualquer líder religioso. A ira inibe os outros e é incompatível com a fé e o discipulado de Jesus. Alcançar a mansidão depende de nossa entrega e confiança n'Ele, que transforma todas as coisas. Contínua e ardentemente devemos desejar e rezar, como nos ensina o Apostolado da Oração: "Jesus, manso e humilde de coração, fazei o nosso coração semelhante ao Vosso".

3) Sensibilidade

Jesus nunca foi indiferente às pessoas e às situações ao seu redor. Nada lhe passava despercebido e nunca se omitiu diante de quem d'Ele precisou, mesmo que tivesse de enfrentar perigos (Jo 8,7-8). Foi assim diante da multidão faminta, para quem multiplicou pães (Lc 9,10-17); ao ser tocado pela mulher que sofria de hemorragia por 12 anos (Lc 8,43); quando soube da morte de Lázaro (Jo 11,1-44) e da filha de Jairo, chefe da sinagoga (Lc 8, 49-50); ao ouvir o grito do cego de Jericó que Lhe suplicou piedade (Lc 18,38).

O líder precisa ser alguém sensível, capaz de enxergar o que os olhos não veem e o que os ouvidos não ouvem. Olhar além das aparências para poder perceber onde sua presença e sua ação são mais importantes, quem é que necessita mais da sua atenção ou de ao menos uma ligação. Com frequência, Dom Albano Cavallin afirmava uma verdade: "Quem ama adivinha". Só um coração que ama consegue ser sensível para descobrir novos caminhos, doar-se, suprir e, com ternura, intervir e corrigir, quando necessário.

4) Entusiasmo

O termo entusiasmo procede da língua grega (*en theú usía*) e tem um lindo significado: estar imerso em Deus, inspirado por Deus, possuído por Deus, ter um Deus interior, estar cheio de Deus. Portanto, não se trata de um mero "fogo-de-palha", mas de uma moção do Espírito, de um consistente e grande interesse, um intenso prazer, uma dedicação ardente, uma paixão veemente por aquilo que se faz, fala ou escreve.

O entusiasmo traz consigo a alegria (1Ts 5,16; Fl 3,1.4,4), o bom sentimento, é envolvente e contagiante, mantém o espírito ativo. Gente entusiasmada gosta do que faz, conquista e convence mais rapidamente. O papa Francisco, octogenário, não tocaria corações e não chamaria tanto a atenção do mundo com sua pregação e suas ideias se não vivesse entusiasmado.

Jesus foi, sem dúvida, um grande entusiasta do Reino de Deus ao amar, exercer a misericórdia, fazer o bem às pessoas e acreditar que sua missão não seria vã. Se não fosse assim, não teria atraído multidões, percorrido longas distâncias e enfrentado a perseguição, a dor e a morte. O entusiasmo nos faz ir até o fim numa missão, custe o que custar. Sem uma boa dose de entusiasmo, nenhuma liderança prospera nem frutifica.

Por vezes, situações adversas tentam nos roubar o entusiasmo. Conforme já mencionamos anteriormente, no capítulo sobre a espiritualidade, precisamos sustentar nossa esperança em Deus. É Ele quem nos dá a força e o sustento necessários para seguirmos em frente sem perder o sentido da vida e da missão que nos foi confiada.

5) Comunicação eficaz

Para se fazer entender por todos – desde os mais humildes até os letrados da época –, Jesus ensinava por meio de parábolas, utilizando linguagem e sinais que faziam parte da vida cotidiana do povo. Ao ver a multidão se aglomerar, preferia pregar do alto da montanha ou, então, em cima de um barco à beira-mar, para que pudesse ser visto e ouvido pelo maior número de pessoas possível. Acima de tudo, se o Mestre atraía multidões é porque tinha uma capacidade de comunicação ampla e eficaz, chegando aos ouvidos e ao coração de muita gente. Uma comunicação clara, coerente, objetiva e verdadeira constitui um excelente suporte e agrega credibilidade para quem lidera.

6) Coragem

Jesus nunca teve medo de agir corretamente e com firmeza – como fez ao expulsar os vendilhões do templo (Jo 2,13-25) – ou de dizer às pessoas o que elas precisavam ouvir, ainda que fossem palavras duras (Jo 6,60), mesmo sabendo que corria o risco de ser abandonado (Jo 6,66) e que os fariseus, escribas e doutores da lei tinham más intenções com relação a Ele. Verdadeiros líderes não podem trair suas convicções ou deixar de orientar e de tomar decisões difíceis e impopulares, quando necessário. Como nosso querido amigo e pastoralista frei Adelino Frigo costuma dizer: "O líder tem que ser um pai que acolhe, um irmão que orienta e um juiz que discorda dos comportamentos errados".

7) Capacidade de inspirar

As pessoas seguiam Jesus por verem n'Ele a esperança de uma vida melhor e confiarem que aquele homem seguro em suas convicções era a porta de entrada para uma nova história que poderia tomar conta de sua vida, de suas famílias, de seu povo. Ele mantinha uma clareza de propósito fascinante e arrebatadora, e é por isso que muita gente deixava tudo para trás e caminhava ao seu lado (Mt 8,19). Um outro ponto fundamental é que Ele era autêntico e coerente, tinha credibilidade porque vivia o que pregava, a ponto de ser admirado pelas multidões, que logo percebiam que "Ele as ensinava como quem tem autoridade, e não como os escribas" (Mt 7,29).

8) Disposição para construir um legado

Jesus sabia que sua vida terrena teria um fim. Por isso, ao longo da "vida pública", trabalhou intensamente para deixar sua mensagem de vida pautada no que Ele pregava e se preocupou em garantir a continuidade da sua obra quando não estivesse mais fisicamente com os discípulos. Afinal, a missão deveria prosseguir por meio das pessoas que tiveram a alegria de conviver ao seu lado e daqueles que viriam depois. Graças a essa preocupação, a Boa Nova do Evangelho chegou até nós e não somos centenas de seguidores, e sim mais de 1 bilhão de crentes que professam a fé em Sua vida e em Sua Palavra.

9) Cuidado em educar o povo

Um versículo é capaz de resumir a missão de Jesus durante o período em que passou na Terra: "Jesus andou por toda a Galileia, ensinando nas sinagogas, pregando o Evangelho e curando as enfermidades e doenças graves do povo" (Mt 4,23). Com palavras e vida, Jesus ensinou que o amor é a melhor resposta para todas as situações; que sem perdão não há vida nova; que a solidariedade nos faz mais irmãos; que a bondade nos aproxima de Deus, entre outras lições. Da mesma forma que o aluno se liga ao bom professor para aprender, os discípulos de Jesus se ligavam ao Mestre, porque sabiam que Ele não se preocupava apenas em instruí-los e sim em dar condições para que transformassem sua vida profundamente.

> "Sede vigilantes, permanecei firmes na fé, sede corajosos, sede fortes; e vosso proceder seja todo inspirado no amor."
>
> (1Cor 16,13)

11
O espírito missionário na vida do líder cristão

Ao ouvirmos o termo "missionários" é comum nos lembrarmos de padres, religiosos e religiosas que viajaram para pregar a Palavra de Deus em comunidades longínquas, de realidade difícil e com muitas privações. Mas a verdade é que missionário é todo batizado que vive e proclama o Evangelho com sua palavra e seu testemunho onde quer que esteja, em lugares próximos ou distantes.

Santa Teresinha do Menino Jesus, que nasceu e viveu na França, no fim do século XIX, foi uma religiosa que nunca saiu de seu convento, no entanto, é considerada Padroeira das Missões. No Carmelo de Lisieux, prisioneira por amor e do Amor, desejou ardentemente percorrer o mundo inteiro para implementar a Cruz de Cristo, mas lá permaneceu. Já o apóstolo Paulo, depois da sua conversão, realizou quatro viagens missionárias, por terra e por água, percorrendo aproximadamente 24 mil quilômetros entre a Ásia e a Europa, pregando a salva-

> "A missão se faz com os pés dos que vão, os joelhos dos que ficam e com as mãos dos que contribuem."
>
> Autoria desconhecida

ção por Jesus Cristo. Sempre em saída, Paulo é considerado o maior missionário da história da Igreja. Terezinha, sem ter viajado, foi tão missionária quanto Paulo, pois, como afirmou o papa Bento XVI numa carta pública do dia 1º de outubro de 2007, "à sua maneira, Terezinha viveu um autêntico espírito missionário". Desde Pio XI até os nossos dias, os papas não têm deixado de recordar os laços entre oração, caridade e ação na missão da Igreja.

Outra coisa que convém ressaltar é que o missionário não precisa necessariamente ter uma boa retórica e falar bonito. A sua vida é que tem de ser um Evangelho vivo. Se falarmos de Cristo apenas com palavras, sem atitudes cristãs, que valor terá nossa pregação? Conta a história que, certa vez, São Francisco foi pregar em Assis (Itália) e levou um noviço consigo. Chegando lá, apenas conversou com alguns vendedores e pessoas da rua. Ao voltar para casa, o noviço perguntou por que São Francisco não tinha pregado. E recebeu a seguinte resposta: "As pessoas ouviram e observaram nossa atitude e comportamento. Essa foi nossa pregação". E concluiu: "Pregue o Evangelho em todo tempo. Se necessário, use palavras".

Assim, não se reconhece um bom líder cristão somente por sua capacidade estratégica, por sua habilidade no trato com as pessoas, por suas técnicas inovadoras para agregar pessoas e alcançar metas com sucesso. Tudo isso seria como sino que retine ou como a casa construída sobre a areia, se faltasse coerência com a fé anunciada. Há um ditado que afirma: "O mundo bate palmas para quem fala bonito, mas se ajoelha diante de quem vive o que fala". Um gesto pode dizer mais do que mil palavras. Aliás, isso explica por que o líder cristão deve ser, antes de tudo, missionário!

Confira o que todo líder que vive uma contínua e autêntica missão geralmente faz:

1) Cultiva a espiritualidade

Reforçando o que já abordamos nos primeiros capítulos, o líder missionário não é somente um técnico ativista com habilidades em relações humanas. É uma pessoa que sabe que é enviada e sustentada por Deus e deseja ardentemente se manter sintonizada com Ele para poder trabalhar ao modo d'Ele. O renomado monge alemão Anselm Grün, na introdução do livro "A arte de ser mestre de si mesmo para ser líder de pessoas". (2014), afirma: "A espiritualidade deve ser vista como uma ajuda para que possamos liderar de uma maneira mais humana e também mais eficaz". E adiante continua: "A espiritualidade mostra-nos como podemos reagir à realidade de nosso dia a dia, como podemos viver, em vez de sermos levados pela vida". Portanto, vida de oração, participação periódica na santa missa, leitura e meditação da Palavra de Deus e retiros espirituais são indispensáveis a todas as pessoas, sobretudo a quem se dispõe a ser operário na messe do Senhor.

2) Fiel à obra

O líder precisa ser fiel a Deus, aos princípios e valores cristãos, às responsabilidades assumidas, aos grupos e às pessoas com quem se comprometeu, e deve ser o primeiro a levar a sério e fazer valer, em tempo hábil, as orientações e decisões firmadas com seu grupo ou advindas de instâncias superiores que requerem seu comprometimento. "Deus é fiel" (Dt 7,9) e a fidelidade assemelha o ser humano a Deus. Por isso, quem facilmente "joga a toalha" corre o risco de agir de modo desleal com o Senhor e com as pessoas, mesmo não percebendo essa grande falta.

> Não somos líderes para termos nossos próprios seguidores e sim para recrutar seguidores de Jesus.

3) Vive a comunhão e a unidade

A desunião é obra do diabo. Pessoas que proclamam a mesma fé precisam ser capazes de superar as diferenças pessoais, políticas e ideológicas em função de uma causa maior: o Reino de Deus. Só consegue viver a unidade na pluralidade quem se deixa mover pelo Espírito Santo. A moção do Espírito leva ao agir de Deus, que "não faz discriminação entre as pessoas. Pelo contrário, ele aceita quem o teme e pratica a justiça, qualquer que seja a nação a que pertença" (At 10,34-35). A comunhão e a unidade são atributos de Deus, três pessoas – Pai, Filho e Espírito Santo – em uma relação tão íntima e estreita a ponto de não serem três deuses, mas um só Deus! Jesus, em sua oração sacerdotal, rezou ao Pai: *"Que todos sejam um, como tu, Pai, estás em mim, e eu em ti"* (Jo 17,11.21). Sem comunhão e unidade não há sólida edificação: *"Todo Reino internamente dividido ficará destruído"* (Mt 12,25). Por isso é um contrassenso pensar em um líder cristão que fomente divisão e discórdia, que desagregue em vez de unir, que dissemine fofocas e forme panelinhas, que se deixe apropriar por um grupo em prejuízo de outro, que não perdoe, que se mostre excludente por causa da preferência partidária de alguém, ou de seu grau de afinidade com a Renovação Carismática, a Opus Dei, a Teologia da Libertação e outras com as quais possa não concordar. É o Espírito Santo, com seus dons, que proporciona ao ser humano a capacidade de viver em unidade e comunhão, ajudando o líder cristão a tirar o melhor de cada um em suas diferenças, e a bem administrar as divergências. Pregava Santo Agostinho: "Nas coisas essenciais a unidade; nas coisas não essenciais a liberdade; em tudo a caridade".

> "Nas coisas essenciais a unidade; nas coisas não essenciais a liberdade; em tudo a caridade."
>
> Santo Agostinho

4) Resiliente a mudanças

A história é dinâmica. Os tempos mudam, imprevistos surgem, planos frustram-se, metas são alteradas e as prioridades não são sempre as mesmas em qualquer realidade pessoal ou corporativa. Junte-se a isso a possibilidade de novas pessoas surgirem em seu grupo, ou o padre da paróquia, com o qual você estava acostumado, ser transferido e ter de se adaptar a uma nova forma de trabalhar. Bom líder é quem sabe tratar tudo isso, não se entregando ao desânimo nem ao pessimismo, perseverando na missão e sabendo fazer os ajustes necessários a cada tempo. Também o apóstolo Paulo soube ser resiliente para ganhar diferentes públicos ao Evangelho de Jesus:

> Com judeus me fiz judeu, para ganhar os judeus. Com os súditos da Lei, me fiz súdito da Lei – embora não fosse mais súdito da Lei – para ganhar os súditos da Lei. Com os sem-lei, me fiz um sem-lei – eu que não era sem a lei de Deus, já que estava na lei de Cristo –, para ganhar os sem-lei. Com os fracos, me fiz fraco, para ganhar os fracos. Para todos eu me fiz de tudo, para certamente salvar alguns. (1Cor 9,19-22)

5) Lidera pelo exemplo

O bom testemunho de vida, sustentado pela fé, pela Palavra e pela oração, respalda a credibilidade e a autoridade do líder missionário. A coerência seduz e atrai. Ao escriba que queria segui-lo, Jesus respondeu: "As raposas têm tocas e os pássaros do céu têm ninhos; mas o Filho do Homem não tem onde repousar a cabeça" (Mt 8,20). Se Jesus não tinha nada materialmente falando, nem era um expoente da alta classe social, intelectual, política e religiosa, de onde

> A coerência do líder é a faísca que empolga.

vinha a força que Ele exercia sobre as pessoas a ponto de atraí-las? Somente de suas palavras? Não, Jesus não era um mero profissional da Palavra, não ludibriava nem anestesiava a consciência das pessoas com belos discursos. No tempo d'Ele, como também no mundo de hoje, havia políticos e religiosos com poder formal, mas sem autoridade moral, por sua incoerência. A falta de comportamento ético diante do povo gera poder sem autoridade, tal como acontecia com os escribas (Mt 7,29). Jesus, por sua vez, não ocupava cargos, mas tinha autoridade moral porque era coerente com o que pregava. Disto decorria sua invejável capacidade de influência, exercida com naturalidade. Da mesma forma, as pessoas seguem a liderança que você exerce na comunidade apenas quando constatam que o "áudio e o vídeo estão sincronizados". Enxergam conformidade entre aquilo que você diz e aquilo que você faz.

Figura 6: Características do líder missionário

As características acima não são nada extraordinárias nem novidades a serem alcançadas. Elas são requisitos mínimos entre os valores que devem marcar a personalidade e o caráter de quem se faz discípulo do Senhor e, sobretudo, de quem se dispõe a liderar. Um bom exame de consciência pessoal deve levar cada um a pensar e repensar a própria vida e a trabalhar em si mesmo os pontos nos quais mais precisa crescer. Isso é conversão!

12
Virtudes no exercício da liderança paroquial

Para exercer uma boa liderança paroquial, não basta apenas ter ou desenvolver as características citadas no capítulo anterior. Também é importante cultivar algumas virtudes que facilitam o cumprimento das atribuições de coordenação que lhe cabem.

Claro que não temos a pretensão de apresentar uma lista fechada de itens ou dizer que, se não seguir à risca todos eles, o trabalho estará comprometido, afinal a sua liderança também é impactada pelo contexto onde atua – favorável ou não. No entanto, vale a pena avaliar o quanto esses hábitos fazem parte do seu dia a dia como gestor.

Figura 7: Bons hábitos na liderança paroquial

1 – Planejamento das ações

Planejamento é a palavra-chave para gerir qualquer trabalho, inclusive a sua atividade religiosa. Assim como em pequenas e grandes empresas, a Igreja precisa de líderes capazes de organizar as tarefas que lhes cabem com responsabilidade e compromisso.

Por isso a importância de entender muito bem qual é a sua missão e ter foco para realizá-la. Às vezes, por falta de recursos ou pessoas, não será possível alcançar, no tempo planejado inicialmente, todos os objetivos traçados. E é aí que entra a competência de fazer escolhas e definir prioridades.

Vamos usar um exemplo prático para explicar melhor. Imagine um casal que acabou de celebrar o matrimônio e começa uma vida a dois. Marido e mulher sonham em ter casa própria, carro, filhos, viajar e levar uma vida confortável financeiramente. Mas será que é possível conquistar tudo isso ao mesmo tempo?

Claro que não. O casal precisará definir prioridades, fazer alguns sacrifícios e ter paciência para conquistar um objetivo de cada vez. Caso contrário, a vida financeira e até mesmo o casamento poderão ruir. Assim como na vida de um casal, a falta de capacidade de planejamento de quem está à frente de uma obra religiosa pode levar um grupo ou toda a comunidade ao fundo do poço.

Algumas pessoas enxergam esse planejamento como um trabalho desnecessário para atividades de Igreja, por lhes parecer simples e fáceis, ou como uma profissionalização exagerada, e se recusam a colocar no papel as atividades que precisam ser desenvolvidas no decorrer do ano. E o resultado é que as coisas vão acontecendo no "atropelo", à espera de milagres, ou então algumas boas ideias simplesmente acabam esquecidas.

Obviamente, o planejamento não deve significar um "testamento final" do que deve ser feito por cada grupo dentro da paróquia. Ele funcionará como um guia, uma referência que poderá ser readequada sempre que necessário. Contudo, ele é imprescindível porque otimiza esforços, evita excessos, economiza recursos, desgasta menos as pessoas envolvidas e todos, com antecedência, sabem por onde andam e aonde querem chegar.

2 – Trabalho em equipe

Ninguém constrói nada sozinho, nem na Igreja. O trabalho em equipe é fundamental para que as coisas aconteçam. E, ao contrário das empresas, em que o líder ou dono do negócio escolhe cada profissional de acordo com suas habilidades, a Igreja não seleciona, mas aceita receber a ajuda de cada fiel que se dispõe a colaborar como pode. Por isso é comum que pessoas de perfis e personalidades completamente diferentes tenham que aprender a conviver e a realizar tarefas em conjunto.

Essa diversidade exige do líder de grupo sensibilidade para valorizar, acolher e dar oportunidade a todos. Muitas ideias e sugestões oportunas podem não avançar dentro da Igreja quando partem de determinada pessoa simplesmente porque não é benquista pelo grupo ou coordenador. Contudo, rechaçar o que provém de outra pessoa por intransigência, oposição ou preconceito não é nada sábio nem cristão. Daí a importância de tratar os membros da equipe de maneira justa e equilibrada, dando igual valor e oportunidade àqueles que desejam contribuir de alguma forma. O líder precisa fazer com que todos se sintam importantes e jamais demonstrar preferência por uma ou outra pessoa.

A certeza de que juntos podemos, crescemos e somos mais, já é motivo suficiente para fazer do trabalho em equipe um modo de liderar. Contudo, lembre-se: saber trabalhar em equipe é bem diferente de querê-lo. Explicamos: muitos líderes anseiam que o trabalho seja realizado pelo grupo, mas não sabem como coordená-lo de maneira que todos participem. Se esse é o seu caso, fique tranquilo! Nos próximos capítulos, daremos algumas pistas que poderão ajudá-lo.

3 – Delegação de tarefas

É comum vermos na Igreja líderes de grupo que "abraçam" todo o trabalho porque, além de outros motivos, podem ter dificuldade de confiar nos membros da própria equipe ou são impacientes para ensiná-los ou ajustá-los num ritmo que possibilite a todos caminharem juntos. Conforme já dissemos, o coordenador deve trabalhar com pessoas de habilidades e competências diferentes; por isso é preciso conhecer bem os integrantes da equipe para saber de que tarefa cada um pode ser incumbido.

A delegação de tarefas e responsabilidades faz com que as pessoas do grupo se sintam valorizadas, os diferentes dons e carismas sejam mais bem aproveitados, e haja menos gente sobrecarregada. Jesus soube delegar quando enviou 72 discípulos "à sua frente, a toda cidade e lugar para onde ele mesmo devia ir" (Lc 10,1). O bom líder não é aquele que assume tudo e desenvolve as tarefas sozinho, mas quem tem o espírito de gestor e sabe delegar.

4 – Disposição para pensar

Já parou para refletir que hoje em dia as pessoas não são educadas para pensar? Claro, pensar consome tempo e muita energia, dá trabalho, cansa, esgota. Há pessoas que, quando começam a pensar, ficam desanimadas, com sono e, se estiverem próximas de uma cama ou sofá, até se deitam para um cochilo. Mas a verdade é que pensar é fundamental para abrir caminho ao discernimento, à sabedoria e à criatividade. Todo bom planejamento e todo trabalho bem feito são frutos de reflexão.

A "preguiça mental", que busca formas de simplificar tudo e atropela o que pode, precisa ser frequentemente combatida. Pensar a vida, o trabalho, os desafios, a equipe que lideramos, a missão que temos e tantas outras coisas não ocupa espaço: podemos fazê-lo quando dirigimos, caminhamos, aguardamos alguém, deitamos, antes de levantar da cama... Oportunidades não faltam. Ocorre que, não raro, diante do computador, da TV ou com o *smartphone* à mão, ficamos distraídos e desperdiçamos o tempo que poderia ser valioso para pensar a vida e a missão que temos. Por vezes, pensar é "capinar sentado" e pode esgotar as forças, mas vale muito a pena.

> "O peixe apodrece pela cabeça."
> Antônio Vieira, padre português

5 – Cuidado em dar retorno às pessoas

Atualmente, somos interpelados a qualquer hora e lugar, seja pessoalmente, por telefone ou pelas mídias digitais. Quem exerce qualquer cargo de liderança é solicitado com mais frequência ainda e, por conseguinte, é imprescindível que o líder organize sua agenda para dar retorno a todos. Ninguém tem a obrigação de responder imediatamente a uma mensagem que acabou de receber; afinal, é impossível estar sempre disponível para quem precisa, e também há outras coisas importantes que requerem atenção, tempo e cuidado. Entretanto, deixar alguém sem resposta configura-se como indiferença e desprezo. Estabeleça algum momento ao longo do dia, nem que sejam alguns minutos, no qual possa responder a todas as pessoas que lhe escreveram ou falaram de questões realmente importantes nas últimas 24 horas. Isso denotará respeito e interesse pela outra pessoa e pelo assunto que ela aborda. E uma boa notícia: mensagens de autoajuda, "bom dia", vídeos, orações, piadas e outras não requerem respostas e ninguém deve se sentir obrigado a retornar.

6 – Ser ágil no que depende de você

Muitos líderes tendem a protelar compromissos de sua responsabilidade e esse é um péssimo hábito! Por vezes, o compromisso cai no esquecimento e, quando os liderados se dão conta do que aconteceu, a credibilidade do gestor perante a equipe costuma ficar abalada. Certa vez, diante de uma grande obra prestes a ser iniciada, um experiente construtor afirmou: "Quanto mais rápido ela for edificada e concluída, menores serão os custos. Quanto mais demorar, mais caro custará". Esse é um princípio que vale para a vida. "Tudo tem seu tempo", diz o Eclesiastes 3,1, e o adiamento de tarefas sem motivos acaba por comprometer o precioso tempo que deveria ser dedicado a outras coisas, acarretando saturação de atividades, desgastes, estresse e prejuízos, isso quando não se perde o prazo hábil para a execução da tarefa. Estar em dia com suas obrigações favorece o equilíbrio pessoal e o ajuda muito a ter paz interior, além de torná-lo um líder proativo.

7 – Estudar, estudar e estudar

Como alguém pode querer liderar uma pastoral se não tem a mínima ideia do trabalho que é desenvolvido por ela? Apenas na boa vontade? Qualquer compromisso assumido na Igreja ou em outro lugar deve ser levado a sério. O bom líder precisa estar informado sobre o que acontece na paróquia e compreender profundamente a missão da pastoral ou do grupo que coordena. Tem de ler, estudar, buscar conhecimento sobre o trabalho a ser realizado e a Igreja.

12. Virtudes no exercício da liderança paroquial

O saber lhe é essencial para pensar, ter domínio do que faz, conseguir montar um bom planejamento das ações a serem realizadas ao longo do ano, e para orientar com segurança as pessoas da equipe. Além disso, quanto mais conhecimento você tiver acerca de seu trabalho evangelizador, menos manipulável e dependente se tornará. Quanto mais elementos enriquecerem nosso conhecimento, mais luz teremos para conduzir nossa missão.

Não estamos dizendo aqui que, para assumir a coordenação de um grupo paroquial, a pessoa deve ser um "sabe-tudo". Apenas recomendamos que, além de se alimentar diariamente das Sagradas Escrituras, é importante ler livros, jornais, revistas e subsídios, bem como participar de cursos formativos e palestras. O importante é estar sempre antenado e não abrir mão de aprender o que lhe pode agregar informação e conhecimento.

Parte III

Relacionamento com as pessoas

13
Pastor ou boiadeiro?

> Eu sou o bom pastor. Conheço minhas ovelhas e minhas ovelhas conhecem a mim, como meu Pai me conhece e eu conheço o Pai. Dou minha vida por minhas ovelhas. Tenho ainda outras ovelhas que não são deste aprisco. Preciso conduzi-las também, e ouvirão minha voz e haverá um só rebanho e um só pastor. (Jo 10,14-16)

Nessa conhecida passagem das Escrituras, Jesus se apresenta como o Bom Pastor e nos acalenta mostrando o profundo apreço que tem por cada uma de suas ovelhas. Ou seja, por cada um de nós. Contudo, como líderes cristãos, também precisamos nos ver no papel de auxiliares do pastoreio. O próprio Jesus, em relação ao Pai, é apresentado como Cordeiro por São João Batista (Jo 1,29); já em relação a nós, seus discípulos, Ele é Pastor. Portanto, somos ovelhas de Jesus, mas também nós exercemos um pastoreio quando lideramos nosso grupo paroquial.

O problema é que muitos líderes cristãos acabam se tornando **boiadeiros** ao conduzir o povo de Deus. No livro "O líder de fé" (Ed. Palavra & Prece, 2010), frei Elias Vella nos brinda com a belíssima comparação dirigida aos sacerdotes, mas que vale também para quem exerce qualquer tipo de liderança:

Talvez possamos compreender melhor o simbolismo do pastoreio se o comparamos com o simbolismo do boiadeiro. O boiadeiro tem o gado – vacas, touros e bois – mas, para ele, aquele gado todo significa apenas carne para o mercado. Todos são numerados; para o boiadeiro, eles significam dinheiro. Por este motivo, o boiadeiro não se importa e nem se aborrece caso uma vaca ou um boi esteja sofrendo; ele simplesmente os toca em frente, a fim de que caminhem rumo ao matadouro. Ele está ali confortável, cavalgando atrás do gado que caminha exausto, cansado, sangrando. Ele não se aborrece com isto, pois este gado significa apenas carne para o mercado. Se, por acaso, o boiadeiro notar que uma vaca caiu e quebrou a perna, ele simplesmente a elimina. Depois vem buscar as vacas mortas ao longo da estrada, a fim de levá-las ao mercado. Esse é o boiadeiro: ele não conduz o gado. Ele apenas toca a boiada em frente, indo atrás da tropa montado em seu cavalo. Há uma diferença brutal entre o boiadeiro e o pastor, e nós devemos ser muito cuidadosos para não passarmos a imagem do boiadeiro tocando a boiada, ao invés da imagem do pastor conduzindo o rebanho.

Tendo trazido à tona os dois tipos de líderes, esperamos que os pastores não se tornem boiadeiros. É claro, um boiadeiro e um pastor, ou melhor, o símbolo do boiadeiro e o símbolo de um pastor, são os dois tipos de líderes: um olha para si mesmo, enquanto que o outro olha suas ovelhas.

Às vezes, está em nosso caráter agirmos como boiadeiros, mas com o poder do Espírito Santo, podemos mudar.

A melhor forma de compreender o tipo de pastoreio que devemos exercer junto às pessoas que Deus nos confiou é parando para analisar em profundidade aquilo que Jesus nos ensinou sobre as práticas do Bom Pastor (Jo 10,1-21):

1) *Ele chama cada ovelha pelo nome.* Para o Mestre, nós somos criaturas únicas e não um bando de pessoas a ser "tocado" como multidão. É por isso que Ele optou por nos modelar individualmente levando em conta nossos vícios e virtudes, costumes e história. Da mesma forma, precisamos olhar cada liderado de modo especial,

procurando adequar nossa liderança às necessidades específicas das pessoas que orientamos, afinal enquanto uma tem fé amadurecida, outras ainda podem estar dando os primeiros passos.

2) *Ele caminha à frente delas.* Isso significa que bom pastor é aquele que dá o exemplo, sendo o primeiro a cumprir, na prática, o que as ovelhas devem fazer. As palavras da sua boca poderão ressoar como um belo cântico no ouvido dos liderados, contudo eles estarão muito mais atentos àquilo que você faz da sua vida. Assim, se você prega sobre a importância de contribuir com o dízimo, é óbvio que tem de ser dizimista e os ouvintes ainda precisam saber que você o é.

3) *Ele dá a vida por suas ovelhas.* Cristo provou essa verdade doando a própria vida, ao morrer por cada um de nós. Hoje, bom pastor é quem possui a coragem de abandonar o egocentrismo e liderar as pessoas da comunidade focado nas necessidades delas. Como já explicamos anteriormente, líder verdadeiro é quem está disposto a servir ao outro em vez de ser um "aproveitador do rebanho", esperando ser servido.

4) *As ovelhas o conhecem.* Jesus se deixava conhecer e nós também devemos permitir que nossos liderados saibam quem somos de verdade. Muitos líderes, com medo de demonstrar suas falhas e imperfeições, simplesmente se fecham. Não se revelam às ovelhas que caminham ao seu lado, talvez na tentativa de manter uma "aura de perfeição". Jesus nos ensina que bom pastor é aquele que lidera com transparência.

5) *Ninguém lhe tira a vida, pois ele a dá livremente.* Jesus não atuou por obrigação, nem por interesses pessoais ou para tirar qualquer vantagem, mas livremente, movido pelo bem das ovelhas. Também nós precisamos abandonar qualquer ideia interesseira ou de "carreirismo", de busca de retribuição ou reconhecimento dentro da comunidade e entender que os cargos são ocupados de modo pas-

sageiro e a serviço da Igreja. Não somos coordenadores, "estamos" coordenadores.

O apóstolo Pedro assimilou muito bem o perfil do Bom Pastor e exortou os pastores de seu tempo. Palavras válidas para todo líder que tem um grupo de pessoas sob seu comando: "Sede pastores do rebanho de Deus, confiado a vós; cuidai dele, não por coação, mas de coração generoso; não por torpe ganância, mas livremente; não como dominadores daqueles que vos foram confiados, mas antes, como modelos do rebanho" (1Pd 5,2-3).

14
Confie e seja confiável

> É por isso que eu sofro essas coisas. Mas eu ainda tenho muita confiança, pois sei em quem tenho crido e estou certo de que ele é poderoso para guardar, até aquele dia, aquilo que me confiou. (2Tm 1,12)

Já parou para pensar por que milhões de pessoas no mundo confiam tanto em Jesus Cristo? Na passagem acima, São Paulo, que deixou seus títulos para levar a mensagem do Evangelho e suportou muito sofrimento e até a prisão por amor a Jesus, revela nunca ter se arrependido por confiar em Cristo.

A base de qualquer relacionamento, independentemente se na esfera pessoal, profissional ou na Igreja, é a confiança. Para liderar pessoas, como fez Jesus, o coordenador de um grupo deve, desde o início, confiar e conquistar a confiança de seus liderados.

Você é confiável?

Está aí uma pergunta embaraçosa, mas que você

> Ao líder não basta ser confiável, é preciso parecer confiável!

precisa se fazer sendo sincero consigo mesmo. Quem não é confiável dificilmente consegue influenciar outras pessoas. E sem influência, não existe liderança. O primeiro passo para você "criar uma liga" com seu grupo, passa, portanto, por você mesmo ser confiável.

Ficamos muito chateados quando descobrimos que alguém possui reservas em relação a nós, não é mesmo? Logo pensamos que ele nos considera desonesto ou má pessoa. Mas talvez você desconheça os fatores que levam a um grau de confiança maior ou menor. É interessante acentuar também que ao líder não basta ser confiável, é preciso parecer confiável! Seus liderados precisam perceber isso em você!

A confiança é construída com base em dois pilares: **caráter** e **competência**.

Caráter

Caráter diz respeito ao conjunto de características e traços relativos à maneira como um indivíduo age ou reage. É o feitio moral, a firmeza e coerência nas atitudes. Uma pessoa conhecida como "sem caráter" ou "mau-caráter" geralmente é qualificada como desonesta, pois não apresenta firmeza de princípios ou de moral. Por outro lado, uma pessoa "de caráter" é alguém com formação moral sólida e incontestável.

Além de estar relacionado à integridade – compondo atributos como honestidade, justiça e autenticidade –, seu caráter também é revelado no cuidado que você tem com as pessoas e coisas, na forma de se comunicar e se relacionar, na abertura sincera para ouvir. E a confiança que as pessoas depositam em você tem tudo a ver com a percepção que elas têm sobre seu caráter.

Na liderança, o caráter é medido de acordo com o comportamento apresentado pelo líder em diferentes situações. Se é dúbio ou manipulador, se não demonstra interesse pelos outros, se não dá abertura para que as pessoas possam falar sobre suas ideias, inseguranças ou erros, se tem predileção por um ou outro membro do grupo, ou se não costuma agir de forma equilibrada e justa, provavelmente, esse coordenador não será digno da confiança do grupo que lidera.

E o resultado disso é que as pessoas passam a acreditar que você possui uma "agenda oculta" – algo por trás – ou segundas intenções, quando apresenta uma proposta ou precisa abordar quaisquer assuntos novos ou espinhosos. Pensam: "Aí tem..."

Competência

Além do caráter, a confiança é medida, também, pela competência do líder para realizar o trabalho que lhe foi designado. Muitas vezes, dentro da paróquia, encontramos coordenadores com um belo testemunho de vida e um caráter indiscutível, mas que, por falta de experiência ou habilidade, não conseguem dar conta das atividades confiadas à sua posição de liderança.

Competência, portanto, tem a ver com a capacidade para tirar as ações do papel e apresentar resultados. E o principal: ela afeta diretamente a reputação e a credibilidade que o coordenador constrói diante do grupo que lidera, revela se ele possui ou não um bom desempenho no trabalho pastoral e se é digno de confiança para assumir grandes e importantes projetos de evangelização.

É por isso que, se você é o tipo de líder que se arrisca em várias empreitadas, mas nunca conclui uma tarefa ou se, no passado, seu comportamento provou que não era capaz de fazer as coisas acontecerem, hoje é quase certo que não goza da confiança do grupo que lidera. Infelizmente, bondade e competência nem sempre andam de mãos dadas.

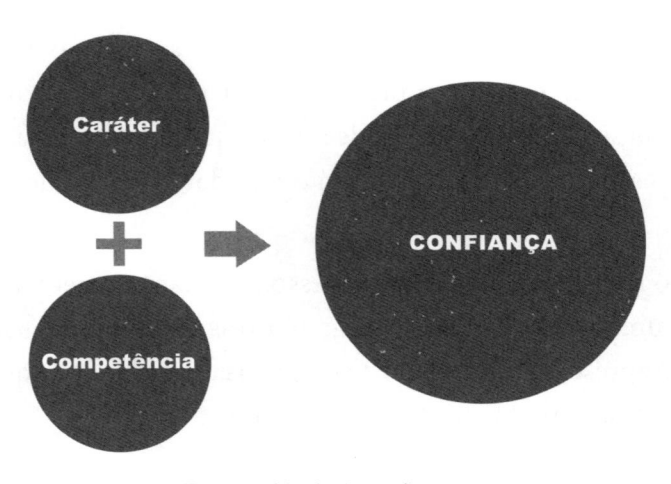

Figura 8: Matriz da confiança

Como já pode ver, sempre que um dos dois pilares – caráter ou competência – falta, a relação entre líderes e liderados se mostra vulnerável.

Você confia nas pessoas?

Até então falamos sobre confiança do ponto de vista dos liderados em relação aos líderes. Agora, queremos refletir sobre o quanto você confia nas pessoas que fazem parte de seu grupo na comunidade. Muitos coordenadores costumam ser naturalmente desconfiados. Partem da desconfiança com tudo e com todos. Alguns preferem testar as pessoas várias vezes para só depois confiar. Outros já agem de maneira contrária. Confiam sem objeções até terem algum motivo concreto para desconfiar.

Quando dá um voto de confiança a alguém, você corre o risco de ser enganado. Mas é um preço relativamente pequeno a se pagar, muito menor do que optar por desconfiar das pessoas o tempo todo e, por isso, precisar controlar o que elas fazem. A desconfiança gera insegurança, juízos precipitados e, não raro, injustiças. Faz mal para o líder, os liderados e todo o grupo. Além disso, líderes que desconfiam demais de quem está ao seu lado deixam que "muros" se ergam entre eles e suas equipes.

Como saber se sou confiável aos olhos das outras pessoas?

É quase certo que ninguém vai lhe falar que não o considera um líder confiável. Por isso tem de ficar atento aos sinais que os integrantes da sua equipe dão quando as coisas não vão bem. Alguns deles: você percebe que é o último a saber das coisas; as pessoas costumam esconder os próprios erros com medo da sua reação; não participam das iniciativas que pretende colocar em prática; falam e se abrem com os outros, mas não trocam ideias com você; chegam atrasadas às reuniões; não dão sugestões; mantêm um contato muito formal com você.

> Não gaste seus esforços "tentando" ser líder. Valorize as pessoas e elas farão de você seu líder.

Mas, afinal, o que acontece quando o líder não consegue conquistar a confiança e o respeito do próprio grupo? Uma das consequências é que as pessoas procuram "maquiar" aquilo que realmente pensam para não se expor. Ou seja, não são sinceras ao falar, ou falam o que o "chefe" quer ouvir. E, muitas vezes, o líder nem se dá conta disso. Para ele, as coisas parecem estar caminhando bem, mas esse sentimento ou opinião não é compartilhado por seus liderados.

Um casamento às vezes só resiste porque um se impõe e o outro se retrai sem coragem de dizer que está infeliz. Na liderança ocorre o mesmo. O trabalho de um coordenador pode render bons frutos pela relação de proximidade com a equipe ou simplesmente porque existe medo. Em ambos os casos, os resultados aparecem, mas a relação baseada no temor tende a ser menos produtiva, é superficial e geralmente não se sustenta por muito tempo.

E quando a equipe percebe que o líder não confia nela?

É muito fácil para um grupo perceber que não tem a confiança de seu líder. Isso acontece sempre que o coordenador tenta exercer um controle exagerado sobre tudo e todos, é centralizador demais, faz as pessoas permanecerem submissas, não pede opinião ou ignora aquilo que os outros falam. Por isso, preste atenção na sua forma de liderar.

Infelizmente, existem muitos líderes na Igreja que, em vez de adquirir "créditos" de confiança, acumulam "débitos". São muito bons e competentes no que fazem, mas acabam deixando as pessoas acuadas pela intransigência na hora de falar e agir.

Boas iniciativas

Antes de mais nada, procure demonstrar sincero interesse pelas pessoas e suas ideias. Quando o líder adota essa postura, a equipe percebe que ele se preocupa de verdade e valoriza a todos. Pequenos gestos podem ser determinantes para ganhar o respeito e a confiança das pessoas.

Quando você cuida do outro, ele sente prazer em ajudar e corresponder ao que lhe é solicitado. E mais do que em qualquer outro lugar, essa preocupação e demonstração de afeto pelas pessoas não pode ser deixada de lado no trabalho desenvolvido na Igreja, pois isso é atitude cristã.

O líder também precisa ser bondoso. Isso, porém, não quer dizer que tenha de aceitar tudo o que lhe pedem. É preciso ser firme na verdade e bom ao mesmo tempo. Sabiamente revela o papa Francisco: "A verdade sem a ternura e a bondade não é verdade, apenas uma caricatura da verdade". A bondade respalda, dá relevância, agrega grandeza à verdade, aumenta a credibilidade para falar e ser ouvido, por isso deve ser a marca do líder religioso.

Seja exemplo em tudo o que o grupo assume, nas coisas que você mesmo prega e exige. Se marcou horário, seja pontual. Se assumiu, faça! Se prometeu, cumpra! Não é decente cobrar das pessoas a obrigação de fazerem as coisas certas se você mesmo não dá o exemplo.

Jamais esconda seus erros e seja suficientemente humilde para pedir desculpas ao grupo sempre que falhar. Evite ruídos na comunicação, seja claro e assertivo. Trabalhe para concluir os projetos que começa para não minar sua credibilidade e reputação perante a equipe.

Para exercer um papel de liderança na Igreja, importa saber que a competência técnica é secundária na conquista da confiança. O que vem primeiro é a vivência cristã do líder, seu exemplo de doação como discípulo do Mestre. As pessoas podem até aceitar a sua falta de habilidade para liderar, mas dificilmente toleram a incoerência entre aquilo que prega e o que pratica. O líder tem de ser o primeiro a viver o que afirma crer e estabelece. Quem não leva a sério o que prega, não pode exigir que outros o façam, pois é incoerente.

15
Conviva com seus liderados

Antes de subir ao céu Jesus assegurou aos discípulos: "Eu estarei com vocês todos os dias, até o fim dos tempos" (Mt 28,20). Essa passagem nos ensina a importância da presença, de se fazer próximo de seus liderados.

O êxito na liderança de um grupo de pessoas depende do tipo de relacionamento que estabelecemos com os nossos liderados e, consequentemente, do grau de confiança que temos uns em relação aos outros. **Mas, como estabelecer um forte vínculo sem dedicar tempo àqueles que nos rodeiam?**

Mais objetivamente, quantas vezes você reuniu o grupo que coordena para um simples cafezinho ou uma singela confraternização ao longo dos últimos 12 meses? Se não for capaz de responder a essa pergunta de imediato sugerimos que reavalie sua postura o quanto antes.

Quem está à frente de um grupo grande e não sabe ao menos o nome das pessoas e um pouco sobre a vida de cada uma delas fora da Igreja – o que fazem, em que trabalham, com quem vivem, quais são seus anseios –, não consegue estabelecer relações de confiança.

Percebemos que muitos líderes católicos mantêm relacionamentos superficiais com as pessoas que fazem parte da sua pastoral ou movimento. Isto é, pouco sabem acerca da vida de quem lideram, pois só se encontram na igreja durante os compromissos pré-agendados.

Interagir bem com o grupo é fundamental, mas insuficiente se você não cultiva proximidade com as pessoas que fazem parte dele. Dom Albano Cavallin costumava dizer que "o líder é um farejador de carismas", por isso precisamos treinar nosso "olfato" na convivência do dia a dia. Muitas vezes ouvimos lideranças da igreja reclamarem: "Não encontro gente comprometida". Não existe mesmo ou estes líderes estão despreparados para identificar os talentos de seus liderados por não conhecê-los?

Contudo, o conhecimento dos liderados não deve se dar sob uma perspectiva utilitarista, a fim de explorá-los ao máximo no que podem oferecer. Baseado em uma dinâmica de partilha, de saber dar e saber receber, o líder visa basicamente três objetivos:

- estreitar laços;
- saber mais dos dons e talentos de quem se dispõe a ajudar, e como melhor aproveitá-los na comunidade;
- poder ajudá-los caso se encontrem em situações que requeiram correção, apoio ou solidariedade.

O que fazer na prática?

As pessoas se conhecem melhor na informalidade, por isso é importante que você promova momentos de convivência nos quais possam confraternizar, jogar e se divertir juntas. E é interessante que isso seja feito, sempre que possível, em um local distinto do ambiente das reuniões. Pode ser na casa de um dos integrantes do grupo, na residência do próprio líder, em uma associação ou outro lugar que favoreça a informalidade e permita a todos ficarem mais à vontade.

15. Conviva com seus liderados

Nas empresas, as pessoas acabam se reunindo ao final do expediente em *happy hours*. E seu grupo? Quando foi a última vez que vocês comeram uma *pizza* ou um churrasquinho juntos? Que comemoraram uma data especial ou mesmo fizeram um passeio? Eventos dessa natureza fortalecem os laços de fraternidade e ajudam a descobrir os tesouros que existem em cada pessoa.

Partilhar um café também é parte da missão, pois fortalece laços de fraternidade e possibilita revelações, visto que todos passam a se conhecer melhor. Aliás, o próprio Mestre esteve nas Bodas de Caná (Jo 2,1-11); fez a refeição com Levi (Mc 2,15); hospedou-se e fez a refeição na casa de Zaqueu (Lc 19,5); instituiu a Eucaristia em torno de uma mesa (Lc 22,14-21); ressuscitado, se revelou ao partir o pão (Lc 24,30-31) e os peixes assados (Jo 21,12-14).

Um outro item muito importante a se considerar é que, às vezes, boas ideias e soluções de problemas não surgem de reuniões demoradas e cansativas, mas de um momento informal festivo, ou mesmo daquele simples cafezinho. O que você deseja e procura pode vir de uma conversa ou de quem menos espera.

Também procure manifestar-se nas datas especiais da vida de seus liderados. Não perca a chance de, por exemplo, ligar no dia do aniversário e de congratulá-los quando souber de algo bom que lhes aconteceu. Muita gente, hoje em dia, prefere enviar uma simples mensagem de felicitação pelo WhatsApp ou Facebook, porém, o impacto de uma ligação ou contato pessoal é infinitamente maior.

Seguindo o mesmo raciocínio, manifeste pesar, apoio e solidariedade quando se trata de uma notícia ruim que tenha afetado a vida de alguém do grupo. Se for possível, esteja presente nos momentos difíceis. Por exemplo, uma visita ao liderado ou a seu familiar que se encontra enfermo é sinal de que você se importa de verdade com as pessoas, ocasião que denota proximidade, afeto e até favorece o perdão e a reconciliação se for o caso.

Além de conhecer bem as pessoas e fazer que elas se conheçam, outra importante atitude que deve ser adotada por um líder coordenador tem a ver com a prática rotineira de dar *feedback* e estar aberto para recebê-lo. Agora, vamos conversar um pouco sobre esse assunto.

16
Pratique *feedback*

Para bem desenvolver os trabalhos de seu grupo, você precisa saber quanto tempo as pessoas estão dispostas a se dedicar às atividades paroquiais e deixar claro o que espera de cada uma delas. Isso, com certeza, permitirá que tudo flua sem maiores problemas ou dificuldades. É necessário, também, combinar as coisas mais básicas, como o local e o horário em que todos devem estar presentes para as reuniões ou atividades agendadas, e sempre lembrar que a assiduidade é fundamental.

Feito isso, tanto você quanto o grupo estarão "aptos" a dar e solicitar *feedback*. Ou seja, de conversar sobre os resultados daquilo que foi pactuado logo no começo dos trabalhos. Estão conseguindo atingir as metas ou algumas coisas necessitam ser mudadas rapidamente?

Feedbacks não servem apenas para cobranças, mas também como oportunidades de realinhar os objetivos ou valorizar quem desempenhou bem sua tarefa e assinalar iniciativas que não podem ser ignoradas pelo líder.

É necessário, ainda, que fique muito claro tanto para você quanto para seu grupo religioso que tudo sobre o que se dialoga e avalia, durante essas "conversas de retorno", não diz respeito às pessoas em si, mas ao quanto elas corresponderam ao compromisso assumido, o que foi bom e deve continuar, e o que precisa ser mudado.

Ciente da importância dessa prática, confira algumas recomendações sobre como dar *feedback* aos integrantes do seu grupo:

Não deixe o tempo passar

Saber quando oferecer *feedback* é tão importante quanto fazê-lo bem. Você terá que avaliar o momento mais oportuno, intuir quando essa conversa será mais construtiva e se ela deve ocorrer de forma individual ou coletiva.

No caso das coisas não estarem andando bem, o mais recomendável é não deixar o tempo passar demais para não correr o risco de acumular problemas. Ou seja, vale a pena abrir o jogo o mais rápido possível. Mas só faça isso se você estiver em condições de manter um diálogo tranquilo.

> "Não se ponha o sol sobre o vosso ressentimento."
> (Ef 4,26)

Muitos líderes pecam por decidirem dar *feedback* corretivo quando estão com as emoções à flor da pele ou enfrentando algum problema de ordem pessoal, por exemplo. Nessas situações, prefira aguardar algumas horas, ou dias, até que consiga se recompor psicologicamente. A capacidade tanto do comunicador, de dar, como do receptor, em aceitar o *feedback*, é que vai possibilitar ou não um efeito positivo.

Contudo, não perca o *timing*[7]. Quando for elogiar, por exemplo, não deixe que se passem duas ou três semanas do fato gerador para

---

[7] *Timing* é uma expressão em inglês que, no contexto desta obra, significa a capacidade de alguém identificar o momento certo para agir frente uma dada situação. Portanto, nem antes, nem depois.

dizer à pessoa que ela agiu bem. Quanto maior o intervalo entre o momento da ação e o reconhecimento do líder, menor o impacto do elogio no liderado.

Fale pessoalmente e escolha um local reservado

Definido o melhor momento, uma segunda sugestão é que esse retorno sobre o comportamento seja oferecido diretamente à pessoa envolvida, ainda mais quando ele for corretivo. Jamais permita que um *feedback* negativo seja transmitido a alguém por meio de terceiros. Isso poderá ser fatal para seu relacionamento com o liderado. A correção fraterna é uma atitude cristã:

> Se seu irmão pecar contra você, vá e mostre-lhe seu erro. Mas faça isso em particular, só entre vocês dois. (Mt 18,15)

E lembre-se: conversas dessa natureza pedem um local reservado, para que você e a pessoa em questão tenham privacidade e tempo suficiente para se falarem o quanto for preciso. Portanto, nada de perder a cabeça e "soltar os cachorros" na frente de outras pessoas. Aliás, mantenha-se sempre respeitoso. O fato de você ter poder legítimo, autoridade formal e talvez um motivo justo, não lhe dá o direito de agir grosseiramente, com violência verbal ou humilhar a quem quer que seja. Vale a pena recordar o conselho de Paulo: "[...] Procure convencer, repreenda, anime e ensine com toda a paciência" (2Tm 4,2).

Evite rodeios quando algo precisa ser corrigido

Para ser benéfico, o *feedback* corretivo deve assegurar uma mensagem clara e exemplos de fácil assimilação. Evite rodeios na hora de se comunicar, sendo muito específico ao fazer apontamentos, e dizendo exatamente como deveria ter sido o desempenho do liderado.

Feedbacks abstratos e genéricos podem acarretar poucas mudanças de comportamento, já que seu liderado não terá informações suficientes para compreen-

> Corrigir não é fácil, mas às vezes é necessário – ou até mesmo, imprescindível.

der o que você quis dizer; pode até achar que o assunto não é com ele, e não utilizará suas percepções para melhorar e crescer. E lembre-se que, de nada adianta fornecer um bom *feedback* corretivo, apontando o que precisa ser melhorado, se não disser à pessoa, no final da conversa, o que espera que ela faça dali em diante e como aprecia o ser humano que ela é. Resumindo: **repreenda o comportamento, mas continue valorizando seu liderado**.

Como exemplo didático, imagine a seguinte situação: o grupo de WhatsApp que vocês criaram para repassar informações entre os membros da sua pastoral começa a ser utilizado para compartilhamento de piadas e vídeos que nada acrescentam ao seu propósito. Algumas pessoas enviam até mesmo mensagens comerciais. Como líder, ficará parado vendo tudo isso acontecer? É claro que não!

Em casos como esse, tão comuns hoje em dia, o correto é você relembrar as pessoas – preferencialmente durante uma reunião presencial – de que aquele grupo de WhatsApp foi criado apenas para a transmissão de mensagens de cunho formativo ou informativo pertinentes às atividades do grupo. Se necessário, esclareça dúvidas que os liderados apresentarem, agradeça a atenção e diga que conta com a compreensão e a colaboração de todos.

Ainda, se houver algum liderado "sem noção" ou impertinente, recomendamos que você tenha uma conversa privada com essa pessoa para orientá-la, cumprindo também nesse caso seu papel de líder.

Certifique-se de que o recado de mudança foi entendido

Portanto, coloque na mesa as questões que devem ser resolvidas de forma sucinta e transparente e dê espaço para que seu liderado exponha o ponto de vista

> Comunicação não é o que você fala, mas o que o outro entende.

dele e o que o motivou a agir desta ou daquela forma. Saber ouvir ajuda muito no desenvolvimento de uma relação madura com os membros da equipe e a você discernir o que é preciso ser feito.

Aliás, após combinar com o liderado aquilo que deve mudar, assegure-se de que ele compreendeu a mensagem. O interlocutor pode achar que entendeu, mas não entendeu! Pode também não ter coragem de admitir que precisa de mais esclarecimentos e dizer que está tudo "ok", mesmo sem ter clareza sobre o que lhe foi comunicado. Por isso, dependendo do caso, uma forma de saber se o que foi transmitido atingiu seu propósito é solicitar que o liderado expresse verbalmente o "acordo feito". O intuito não é constranger a pessoa ou infantilizar a relação, e sim impedir equívocos e ruídos de comunicação entre vocês.

Elogie as boas ações

Como dissemos no início, *feedback* não serve apenas para alertar alguém sobre comportamentos que precisam ser mudados. Ele também é útil para reconhecer as boas ideias, o esforço e a dedicação de quem está ao seu lado no trabalho em comunidade.

Jamais perca a chance de elogiar as pessoas quando tem a oportunidade de "flagrá-las" fazendo algo de bom. Isto é, procure ter um olhar clínico capaz de perceber o que as pessoas fazem corretamente, em vez de focar tão somente naquilo que não realizam bem ou que ainda precisam melhorar. São Paulo soube elogiar na hora certa:

> Eu havia falado muito bem de vocês a ele, e vocês não me desapontaram. Temos sempre dito a verdade a vocês. Assim também é verdadeiro o elogio que fizemos a Tito a respeito de vocês. (2Cor 7,14)

O *feedback* positivo ajuda os integrantes de seu grupo a perceberem que os esforços deles estão dando resultados e são reconhecidos por você. E é claro, conferem a certeza de que estão cumprindo bem a missão com o grupo e a comunidade.

Esteja aberto para receber feedback

Não são apenas os liderados que necessitam saber se estão no caminho certo. Você também será um coordenador muito melhor se criar um ambiente no qual as pessoas se sintam encorajadas a dizer o que você tem feito de bom e o que precisa ser ajustado logo, segundo a percepção delas.

Contudo, na prática, sabemos que poucos liderados têm a iniciativa de procurar o coordenador, quando ele não demonstra interesse em saber a opinião dos membros do grupo ou parece indisposto a escutar críticas. E o resultado é que preferem fofocar, enquanto que o principal interessado continua sem saber o que se passa, ignorando como as pessoas o enxergam e perdendo a oportunidade de refletir sobre o que poderia ser melhorado em sua atuação como líder.

> Aprenda a rir de si mesmo e de seus erros. Um líder que não consegue tratar a vida com leveza tem tudo para se tornar uma pessoa amarga.

16. Pratique *feedback*

Por isso, recomendamos que, de tempos em tempos, você converse com seus liderados – em grupo ou individualmente, como achar melhor – com o intuito de saber o que eles pensam sobre a sua liderança. Uma simples pergunta – *"O que estou fazendo de bom e o que vocês acham que tenho de mudar?"* – pode abrir seus olhos para algumas oportunidades de melhoria.

Também vale a pena deixar o canal aberto para escutar aquilo que o pároco e outros líderes de pastorais, movimentos e serviços têm a lhe dizer. Como quem olha de fora, essas pessoas costumam trazer contribuições extremamente valiosas para aquele que busca se aprimorar.

Dar *feedback* é fundamental, mas abrir-se para recebê-lo é tão importante quanto dar. Críticas e elogios, quando não levados para o lado pessoal e recebidos com maturidade e coração aberto, são propulsores de extraordinário crescimento.

A periodicidade desse tipo de conversa

Após ler todas essas sugestões você pode estar se perguntando: **"Com que frequência tenho de dar *feedback* para as pessoas?"**

A resposta é muito simples: sempre que houver a necessidade de compartilhar sua percepção com aqueles que trabalham com você. Seja em uma celebração eucarística, festa paroquial ou retiro de formação, por exemplo.

Portanto, esse tipo de conversa não requer ocasião específica. Você pode e deve dar *feedbacks* pontuais e curtos – de até 5 minutos – para seus liderados sempre que perceber que um comportamento tem de ser corrigido rapidamente ou elogiado. Esse tipo de retorno, que corrige, motiva e faz ajustes, é que acaba levando os membros do grupo paroquial a se empenhar cada vez mais em suas tarefas.

Se está assumindo uma liderança formal na comunidade pela primeira vez ou mesmo se está à frente de algum grupo há bastante tempo, você pode enxergar como um ônus a tarefa de dar e receber *feedback*. Muitos coordenadores tentam evitar ao máximo conversas dessa natureza, pelo fato de terem certa amizade com o liderado, ou por receio de criar indisposições e mal-estar. Todavia, para o bem de todo o grupo, essa é uma atribuição da qual o líder não pode se esquivar.

Tenha em mente, também, que quanto melhor for a sua relação pessoal com os liderados, mais fácil esse tipo de conversa será. E para que exista um bom relacionamento, você precisa estar sempre a postos para receber sugestões e fazer que as pessoas se sintam encorajadas a expor suas ideias, afinal *feedback* **não é palestra,** *feedback* **é diálogo!**

17
Como administrar conflitos

A convivência e o trabalho em equipe nem sempre ocorrem de modo harmonioso. É comum, e da natureza humana, que conflitos apareçam, ainda mais em grupos formados por pessoas dos mais diferentes perfis, como é a realidade na Igreja.

Aliás, é importante você entender que conflitos nem sempre são o prenúncio de algo ruim. Não há nada de errado quando alguém insiste em defender uma ideia ou lutar por aquilo que acredita, mesmo se contraria a opinião do líder ou do grupo. Se bem conduzido, o debate poderá ser muito positivo e enriquecedor.

Porém, o conflito é terrivelmente maléfico se decorre de perseguição, inveja, competição, fofoca ou qualquer tipo de maldade. A sua capacidade destrutiva é potencializada ainda mais quando parte de um líder ou se ele não tem maturidade emocional para administrar o conflito e toma decisões que pioram a situação.

> A forma como você trata os outros diz muito sobre sua visão de Deus.

Outros conflitos se tornam disfuncionais ao deixarem o campo das ideias e passarem a ser pessoais. Isso acontece quando, por exemplo, alguém do grupo se sente ignorado e começa a ver todas as suas sugestões rechaçadas, não importa se oportunas ou não. Isso cria exclusão, divisão e mal-estar. Ideias podem ser combatidas e rejeitadas, mas as pessoas jamais!

É com as nuances negativas dos conflitos que você deve se preocupar e com elas aprender a lidar, pois com facilidade as pequenas ervas daninhas que surgem em relacionamentos, grupos e organizações ganham uma proporção muito grande e são devastadoras, se não eliminadas a tempo.

Como você geralmente lida com conflitos?

A inabilidade para lidar com conflitos leva muitas pessoas – inclusive líderes – a simplesmente mudarem de grupos pastorais e mesmo de paróquia para não precisarem encará-los. Solução aparentemente fácil e pouco comprometedora, que não indicamos para ninguém, porquanto fugir de problemas não é uma boa opção. Aliás, quem não sabe enfrentá-los, não para em lugar algum.

Também esteja ciente de que a forma como lidou com conflitos no passado talvez ainda afete o modo como responde a eles hoje em dia. Ou seja, você pode mudar de paróquia, mas problemas semelhantes certamente irão acompanhá-lo.

Vamos aprofundar um pouco mais essa questão. Você se recorda como eram resolvidos os conflitos em família na sua infância? Qual das três estratégias mais comuns – **fuga**, **agressividade** e **resolução de problemas** – seus pais geralmente adotavam?

Famílias nas quais se foge dos conflitos têm uma dinâmica: todos tentam fingir que eles não existem. E, quando surge algo que escapa ao controle, as pessoas se retraem, silenciam e fazem de tudo para que ninguém perceba, tendo por princípio não se exporem e não se meterem em confusão para não serem julgadas ou mal-interpretadas.

Em famílias nas quais a agressividade é regra, você aprende que, diante de um conflito, o que precisa fazer é lutar pela sobrevivência. Por isso mesmo, jamais se considerar culpado ao provocar problemas, exigir seus direitos gritando e com dedos em riste, para não ser visto como fraco, e ser indiferente às necessidades das pessoas. Ou seja, só se preocupar consigo mesmo.

Por fim, há quem nasceu em família na qual os pais frequentemente marcam reuniões para dirimir as tensões que pairam no ar. Nesse ambiente, ninguém pode recorrer ao mau humor, tampouco fugir da conversa. Para prevalecer, é necessário apresentar argumentos sólidos. Agressões não são permitidas e ninguém se despede da mesa antes que as coisas estejam resolvidas de verdade, e o acordo fique celebrado por um abraço ou aperto de mãos.

Hoje, você pode estar reproduzindo na sua vida profissional e também na Igreja comportamentos semelhantes aos que tinha em família e isso não é bom, se a fuga ou a agressividade eram consideradas o "jeito correto" de lidar com conflitos (JANZEN, 2015).

No entanto, não precisa continuar com o costumeiro *modus operandi*, especialmente se ele não tem ajudado você a amadurecer. Algumas pessoas nos perguntam: "E o que eu devo fazer para mudar?" A resposta é: procure se conhecer cada vez melhor, preste atenção em como reage às situações conflituosas no dia a dia, identifique seus excessos e lacunas, atue de modo ponderado e siga o exemplo e os ensinamentos de Jesus.

A expressão síntese de tudo isso é: **seja assertivo**! Desenvolva a habilidade de falar e agir de tal modo que as pessoas reajam positivamente a suas atitudes (CARNEGIE, 2015). Enquanto o passivo finge que não vê e o agressivo peca pelos excessos, o assertivo consegue declarar com firmeza aquilo que acredita ser o correto e ainda mantém o outro interessado.

Como Jesus nos ensina a tratar conflitos com assertividade

> Se seu irmão pecar contra você, vá e mostre-lhe seu erro. Mas faça isso em particular, só entre vocês dois. Se essa pessoa ouvir seu conselho, então você ganhou de volta seu irmão. Mas, se não ouvir, leve com você uma ou duas pessoas, para fazer o que mandam as Escrituras Sagradas. Elas dizem: 'Qualquer acusação precisa ser confirmada pela palavra de pelo menos duas testemunhas'. Mas, se a pessoa que pecou não ouvir essas pessoas, então conte tudo à Igreja. E, se ela não ouvir a Igreja, trate-a como um pagão ou como um cobrador de impostos. (Mt 18,15-17)

Jesus apresenta o passo a passo que deve nos guiar quando há uma correção ou advertência a ser feita a quem errou por ter causado um conflito, ofendido, sido injusto ou desonesto, mentido, caluniado etc. Precisamos ser assertivos a fim de não piorar o problema. Não devemos ficar resmungando ou contando para todo mundo o que aconteceu. O primeiro passo é falar diretamente com a pessoa a ser advertida.

Vejamos em detalhe esse processo:

1) Converse amorosamente

A primeira atitude indicada por Jesus é ir em direção àquele que precisa ser corrigido para conversar sobre o fato ocorrido. Um diálogo pessoal claro e direto resolve na maior parte das vezes, especialmente se não faltam caridade e mansidão. Por isso, enquanto estiver emocionalmente afetado pela situação, evite falar com a pessoa a ser advertida. Muitos líderes com perfil explosivo perdem a razão justamente porque, em situações dessa natureza, falam mais do que deveriam (Tg 3,5).

O que você deve almejar é o bem e a salvação de quem errou, ajudando-o a olhar para si mesmo e a evitar o mal, sem humilhações. Uma atitude arrogante poderá aumentar o problema já existente e colocar tudo a perder. Sabiamente, Provérbios 15,1 nos ensina: "A resposta branda desvia o furor, mas a palavra dura suscita a ira".

2) Solicite o apoio de testemunhas

Caso a conversa individual não surta o efeito desejado, Jesus recomenda buscarmos a ajuda de mais pessoas para administrar o problema. Convém que sejam no máximo duas ou três, gente que tenha um perfil conciliador e que também conte com o respeito daquele que deve ser corrigido.

Com pessoas ponderadas e imbuídas de bondade mediando a situação e ajudando a discernir, a correção fraterna pode ter mais eficácia. Quem comete um erro aos olhos dos outros pode ter seus motivos e, também, o direito de se justificar. Quem ouve e tenta ajudar pode se equivocar em seus julgamentos e assim dificultar a solução. Por isso, pode haver a necessidade de mais gente, não para jogar lenha na fogueira, mas para lançar mais luz sobre o fato ocorrido e orientar a pessoa com sabedoria.

3) Leve a questão à Igreja

Se, mesmo assim, o problema não for resolvido, então você precisará envolver esferas superiores da comunidade. Ou seja, terá de procurar o padre, ou o superior religioso, o provincial, o coordenador diocesano, ou administrador da comunidade, dar-lhe ciência da situação e buscar outros caminhos de solução.

Só um detalhe: lembre-se que essa é a última opção. Muitos coordenadores, com frequência, levam aos padres problemas que eles mesmos poderiam resolver com seu grupo pastoral e não o fazem simplesmente por falta de coragem para lidar com situações delicadas de relações humanas, parte do ônus da liderança que não pode ser transferida a terceiros.

Àquele que prefere persistir no erro, Jesus sugere seja abandonado, porque ninguém consegue ajudar quem não reconhece as próprias falhas e não aceita ajuda. A conversão supõe boa vontade da parte do pecador.

Pode ser que um líder passe boa parte do tempo administrando conflitos de toda espécie. Contendas poderão existir em qualquer tempo e estamos sujeitos a elas. Pessoas realmente de Deus saberão administrá-las com sabedoria e, para isso, a oração e a espiritualidade são grandes aliadas. Quando o bem, a reconciliação e a vida nova prevalecem, todos saem fortalecidos. Entretanto, quando não se chega a um consenso não há vitoriosos, somente derrotados.

Seja criativo ao mediar conflitos

Há, na Bíblia Sagrada, um dilema conflituoso solucionado com sabedoria e criatividade pelo Rei Salomão. Duas prostitutas se apresentaram a ele dizendo que ambas moravam na mesma casa. A primeira deu à luz um menino e, dois dias depois, a segunda também. Apenas as duas estavam na casa. Porém, uma noite, uma das mulheres rolou sem querer sobre seu próprio filho e o sufocou, matando-o. Ela, então, levantou-se, enquanto a outra dormia, pegou o filho desta última e o colocou em sua cama. Em seguida, ajeitou o menino morto nos braços da outra. Pela manhã, essa percebeu que a criança morta na verdade não era seu filho.

A outra, no entanto, afirmava que seu filho estava vivo. Ambas discutiam e procuraram o rei para ver com qual delas ficaria a criança:

> Então o rei Salomão disse: – Cada uma de vocês diz que a criança viva é a sua, e que a morta é da outra.
> Então mandou buscar uma espada e, quando a trouxeram, disse: – Cortem a criança viva pelo meio e deem metade para cada uma destas mulheres.
> A verdadeira mãe do menino, com o coração cheio de amor pelo filho, disse: – Por favor, senhor, não mate meu filho! Entregue-o a esta mulher!
> Mas a outra disse: – Podem cortá-lo em dois pedaços! Assim ele não será nem meu nem seu.
> Aí Salomão disse: – Não matem a criança! Entreguem o menino à primeira mulher porque ela é a mãe dele. (1Rs 3,23-27)

Salomão não tinha a intenção de matar a criança, mas precisava descobrir qual das mulheres falava a verdade a fim de tomar uma decisão coerente e justa, e que ainda validasse seu comando perante o povo. Conhecedor da alma humana, sabia que a mãe suportaria ficar longe do filho, mas jamais aceitaria passivamente vê-lo ser morto, e por isso instigou o tipo de sentimento que apenas a verdadeira genitora carregava dentro de si.

Quando estiver diante de um impasse, procure ser criativo e busque opções inusitadas. Geralmente, a resposta está mais próxima do que imagina.

Sugestões práticas

– Antes de mais nada, tome a iniciativa de resolver qualquer pendência conversando diretamente com a parte envolvida. Como Jesus nos ensinou: "... se você estiver oferecendo no altar a sua oferta a Deus e lembrar que seu irmão tem alguma queixa contra você, deixe a sua oferta ali, na frente do altar, e vá logo fazer as pazes com seu irmão. Depois volte e ofereça a sua oferta a Deus" (Mt 5,23-24).

– Se estiver errado, reconheça o erro logo. Esse tipo de atitude não o tornará vulnerável ou irá diminuí-lo como líder. Ao contrário, demonstrará nobreza em deixar o orgulho de lado e humildemente reconhecer que falhou. Conquistará ainda mais o respeito das pessoas.

– Corrija e critique numa linguagem construtiva, sem posar de vítima e evitando expressões do tipo: "você nunca aprende", "errou de propósito", "é muito mau e desonesto", "não vai mudar nunca", "é ignorante", "parece criança" etc.

– Caso seja parte do problema e não saiba como solucioná-lo, peça a ajuda de bons conselheiros e, se for o caso, do próprio pároco. Não há demérito algum em contar com o auxílio de pessoas experientes que poderão analisar a contenda com a sobriedade necessária.

– Não busque ajuda para obter apoio a fim de fortalecer suas convicções, mas para avaliar melhor as razões e encontrar a verdade. Você pode não estar tão certo quanto acha, e ter somente parte da verdade, ou até mesmo parte nenhuma, e só perceberá isso se for suficientemente humilde.

– Esteja preparado para lidar com os desgastes comuns a qualquer conflito que não é solucionado apenas entre as próprias partes. Quanto maior for a exposição pública do problema, mais criticado poderá ser.

– Pequenos conflitos podem tornar-se grandes. Não os ignore! Quanto antes tentar resolvê-los, mais fácil será e menos estragos farão.

– Escolha que batalhas enfrentará. Às vezes, é muito melhor aceitar com resignação a escolha de um caminho que não gostaria de seguir, do que fazer valer sua razão e dar continuidade a uma discussão sem fim sobre algo cuja importância é ínfima.

– Ao mediar conflitos, não se posicione apoiando uma das partes. Seu papel é o de ouvir as pessoas, compreender as causas e auxiliá-las a encontrar uma solução pacífica.

– Evite que, no final, uma das partes se sinta vencedora e a outra saia como perdedora. Isso não colocaria um ponto final na história e poderia, no futuro, acarretar problemas de proporções ainda maiores.

Recordemos as palavras do apóstolo Paulo: "Façam todo o esforço para conservar a unidade do Espírito pelo vínculo da paz" (Ef 4,3).

Em tudo e com todos devemos ser sempre missionários da paz.

18
Lidando com as panelinhas

Na Igreja, assim como em qualquer lugar onde exista um agrupamento de pessoas, pode acontecer de se formarem panelinhas. Mais: é natural do ser humano se agrupar por afinidade, coincidência de gostos ou de ideias, *hobby* e outros, e isso nem sempre é mau sinal. O que as pessoas não podem é ser excludentes em seus círculos, não interagir com mais ninguém por diferenças ideológicas no campo político, por preconceito racial ou discriminação pela condição econômica; não podem é perder a consciência da abertura e da acolhida ao outro e deixar de querer ampliar a participação.

Nos dicionários, "panelinha" é descrita como um "grupo fechado de pessoas que age por interesse próprio, às vezes em detrimento de outros". Algumas pessoas a consideram como um "conluio de gente metida, que não se mistura" ou "bando formado para promover seus próprios interesses, fazer oposição ou causar intrigas". Nada a ver, portanto, com o ambiente da Igreja, onde a fraternidade deve ser cultivada com amor, bondade, acolhida e sem diferença entre as pessoas.

> Imaginai o seguinte: Na vossa reunião entram duas pessoas, uma com anel de ouro no dedo e bem vestida, e outra, pobre, com a roupa surrada. À que está bem vestida, dais

> atenção, dizendo-lhe: "Vem sentar-te aqui, à vontade". Mas à pobre dizeis: "Fica aí, de pé", ou "Senta-te aqui no chão, aos meus pés". Não é isso um caso de discriminação entre vós? Será que não julgastes com critérios que não convêm? (Tg 2,2-4)

Vamos parar um momento e refletir. É atitude cristã a divisão interna dos membros da Igreja em pequenos grupos que, por intolerância, preconceito ou falta do espírito fraterno, menosprezam e excluem os demais? "Se fazeis acepção de pessoas, cometeis pecado e a Lei vos acusa como transgressores" (Tg 2,9). Já falamos o quanto são importantes a comunhão e a unidade no trabalho pastoral. Jesus resumiu todos os mandamentos em um só:

> Eu lhes dou este novo mandamento: amem uns aos outros. Assim como eu os amei, amem também uns aos outros. (Jo 13,34)

Em sã consciência, a maioria das pessoas acha que não forma panelinhas e que seus grupos são abertos e acolhem a todos. Contudo, uma autoavaliação periódica é crucial, porque qualquer um de nós pode correr esse perigo. Um dos sinais para saber se formamos ou não panelinhas é observarmos o comportamento dos novos participantes. Eles se sentem bem acolhidos ou não? Permanecem ou logo desistem? São participativos ou passivos?

Existem grupos dentro da Igreja que deveriam ser chamados, na verdade, de "ministério das panelas", porque são fechados e nada acolhedores aos que não fazem parte de seu grupo. Conhece algum assim na sua paróquia? Esse tipo de comportamento é extremamente nocivo para a comunidade. **Líderes precisam se preocupar em integrar as pessoas** e combater esse tipo de realidade.

Mas você pode pensar: Jesus criou a sua própria panelinha ao escolher os 12 discípulos. O fato é que Ele recrutou pessoas que tinham potencial para serem seus colaboradores, caminharem com Ele e

18. Lidando com as panelinhas

depois serem continuadores e multiplicadores da sua obra. Doze foi apenas para começar, afinal, depois que ressuscitou, ordenou ao grupo: "Foi-me dada toda a autoridade no céu e na terra. Ide, pois, fazer discípulos entre todas as nações, e batizai-os em nome do Pai, do Filho e do Espírito Santo. Ensinai-lhes a observar tudo o que vos tenho ordenado" (Mt 28,18-20).

> "Irmãos, peço, pela autoridade do nosso Senhor Jesus Cristo, que vocês estejam de acordo com o que dizem e que não haja divisões entre vocês. Sejam completamente unidos num só pensamento e numa só intenção."
>
> (1Cor 1,10)

Os apóstolos Pedro, Tiago e João, por exemplo, possuíam muitas coisas em comum. Os três eram pescadores, cresceram no mesmo meio social, falavam a mesma língua, mas isso não os levou a uma postura de exclusão dos demais escolhidos. O que mais possuíam em comum era o fato de terem sido escolhidos por Jesus, porém, isso não os fez se acharem melhores que os outros. Não se isolaram num grupo fechado.

É certo que nunca será possível acabar de uma vez por todas com as panelinhas dentro da Igreja. O melhor caminho é promover o espírito fraterno sem excludências, para que ninguém constitua obstáculos à participação de novos membros. Trabalhar isso em reuniões formativas, orações e encontros de espiritualidade ajuda bastante.

Cristão não é aquele que se fecha em grupinhos, e sim justamente o contrário. É quem vai ao encontro dos outros, acolhe, cria novas amizades, partilha, forma comunidade e caminha junto. É assim que, como batizados, devemos ser discípulos missionários: "Como o Pai me enviou, também eu vos envio" (Jo 20,21). É por essa mesma razão que o papa Francisco pede "Uma Igreja em saída" (Exortação Apostólica *Evangelii Gaudium*, 2013).

O líder cristão deve ser o primeiro a viver o mandamento do amor fraterno deixado por Jesus (Jo 13,34-35), o principal distintivo de seus discípulos. "Deus não faz discriminação entre as pessoas" (At 10,34), e nós também não devemos fazer. Porém, não é raro os próprios coordenadores de grupos religiosos demonstrarem predileção por algumas pessoas e indiferença ou até mesmo desprezo por outras. Isso pode ocorrer sem que o próprio líder se dê conta. É preciso se autopoliciar para evitar esse perigo, perguntando-se com frequência: "Tenho um olhar só para aqueles que estão próximos a mim ou enxergo igualmente a todos?"

Como já mencionamos anteriormente, todo coordenador também exerce pastoreio, como auxiliar do grande Pastor Jesus. Por isso deve prezar pelo bem de todas as ovelhas, dar-lhes oportunidades iguais, valorizá-las, aproximá-las, cuidar daquela que está ferida, ir atrás da que se perdeu e fazer sua voz ser reconhecida. Quem não estiver disposto a isso, não deve liderar!

Como enfraquecer as panelinhas

Há algumas ações que podem ser tomadas por você para evitar a formação de panelinhas excludentes. Sabe aquele grupo de pessoas que senta lado a lado e faz todas as atividades juntas? Dê oportunidade para que elas conheçam os demais membros da equipe pastoral – com os quais não têm tanta afinidade ou intimidade – colocando-as para trabalharem em conjunto. Misture os grupos sempre que possível.

É importante que também comece a se envolver com outras pessoas dentro da paróquia. Não fique encastelado. Muitas vezes, as panelinhas se formam como consequência do isolamento do líder. Isso é mais comum em grupos de baixa rotatividade ou que têm identida-

18. Lidando com as panelinhas

de muito forte, como é o caso de alguns movimentos dentro da Igreja. A boa relação com outras lideranças pode agregar conhecimento, experiências, ideias novas. Fará que você amplie seu olhar e cresça.

Se há uma outra coisa que deve ser superada na Igreja é a departamentalização, ou seja, o isolamento, a falta de integração e de solicitude entre grupos. Muita gente participa, há anos, de uma mesma comunidade e não se conhece, porque fica fechada nas atividades de seu grupo e não se integra nos eventos comunitários, como missas especiais, festas, retiros, grandes encontros, projetos paroquiais e diocesanos etc. Os grupos não podem constituir uma panela à parte na caminhada da Igreja. Os padres e os líderes paroquiais precisam ter consciência disso e se empenhar para que tal problema não aconteça.

> Desse modo não existe diferença entre judeus, entre escravos e pessoas livres, entre homens e mulheres: todos vocês são um só por estarem unidos com Cristo Jesus. (Gl 3,28)

Parte IV

Fazendo as coisas acontecerem

19
Como elaborar um plano de ação

Certa vez, Jesus disse: "Por seus frutos os conhecereis" (Mt 7,20). Hoje, essa Palavra precisa ressoar em nosso coração com o entendimento de que é pelos frutos produzidos que se reconhecem a bondade, a verdade, a autenticidade, a eficiência e a procedência de uma liderança.

Mas como saber se você é um líder que produz bons frutos? Cremos que vale a pena refletir sobre as questões abaixo:

- As coisas acontecem quando você se coloca à frente delas?
- Você geralmente conclui aquilo que começa ou tem por hábito abandonar muitos projetos no meio do caminho?
- De tudo o que planejou fazer no último ano, o que de fato conseguiu realizar?

Na maior parte das vezes, respostas negativas ou desanimadoras a essas perguntas estão relacionadas à falta de planejamento. Para alguns, parece estranho, e até profissional demais, falar em Plano de Ação para o trabalho evangelizador. Po-

> A liderança eficaz não está em quantas coisas você começa, mas em quantas termina.

rém, assim como ocorre nas empresas, as atividades coordenadas por nós, líderes católicos, demandam um "processo de gestação".

Como saberemos no final do ano se valeu a pena todo o esforço e dedicação empregados, meses a fio, sem o cuidado de dialogar e acordar os objetivos com o grupo desde o início da caminhada? A adesão das pessoas e o trabalho em comunhão – o próprio nome já diz "comum união" – numa paróquia não acontecem sem que elas também participem do processo da tomada de decisão.

Quando todos sabem o que e como fazer, aonde se quer chegar e quais passos dar, fica muito mais fácil conseguir o comprometimento da equipe. Por isso, procure envolver os liderados no processo de planejamento sempre que possível.

Em contrapartida, também deixe claro para o time que os objetivos decididos em conjunto podem mudar ao longo da caminhada. Ninguém deve permanecer escravo de um plano se ele passa a não fazer sentido. Mas é imprescindível saber muito bem, e desde o início, aonde se quer ou se precisa chegar.

Além disso, um dos principais benefícios do planejamento está no fato de que colocar os objetivos-chave no papel ajuda o grupo a estabelecer suas prioridades e saber por onde deve começar a caminhar.

O que é o plano de ação?

É o documento que vai orientar as iniciativas empreendidas por seu grupo pastoral. Ou seja, o arquivo no qual reunirá tudo aquilo que pretendem realizar den-

> Quando as ideias são colocadas no papel fica mais fácil enxergar os avanços do trabalho desenvolvido pela equipe.

tro do período que durar a sua coordenação ou, ao menos, durante o ano atual do seu mandato.

Para definir o plano de ação é preciso, primeiro, estabelecer uma meta central palpável. O que objetivam alcançar? Qual montanha pretendem subir? Na sequência, com o objetivo acordado, é hora de começar a traçar o passo a passo necessário para colher os resultados esperados lá na frente.

Todo processo de planejamento ainda requer um cronograma, pessoas que se comprometam a colocar a "mão na massa" e recursos diversos (financeiros, técnicos, materiais...), para que as ideias, de fato, saiam do papel.

Percebemos que muitos grupos pastorais têm excelentes propostas, mas não conseguem progredir simplesmente porque sua missão evangelizadora ainda carece de um plano detalhado.

Como montar um plano de ação na prática

O ideal é que o plano seja feito anualmente e, se possível, com bastante antecedência em relação ao início da sua execução. Isto é, deve começar a ser pensado pelo líder no final do ano anterior. Uma sugestão interessante é utilizar, para isso, o **Método 5W2H**. Sim, a sigla é estranha, mas muito comum no meio empresarial. Trata-se de uma ferramenta de gestão que exige de você respostas a perguntas-chave que todos devemos nos fazer antes de empreender qualquer iniciativa.

As letras correspondem às iniciais, em inglês, das sete diretrizes que, se bem estabelecidas, são capazes de eliminar dúvidas que possam surgir ao longo do trabalho. Os 5 Ws são: **W**hat (O que será feito?), **W**hy (Por que será feito?), **W**here (Onde será feito?), **W**hen (Quando será feito?), **W**ho (Quem será o responsável?); e os 2 Hs: **H**ow (Como será feito?) e **H**ow much (Quanto vai custar?).

A metodologia tem como base as respostas para todas essas perguntas básicas e essenciais. Assim, fica mais fácil desenhar um mapa de atividades e seguir os passos para a concretização de cada meta ou alvo.

Vamos usar um exemplo prático para ficar mais claro. Imagine que você precisa ajudar a organizar um retiro para o grupo de adolescentes da sua comunidade. O objetivo é promover um momento de confraternização e espiritualidade entre eles. O encontro acontecerá em uma chácara e será organizado pelos pais e o coordenador do grupo, que é o principal responsável por executar a proposta. Acontecerá no primeiro domingo das férias de julho e contará com uma manhã de oração, atividades lúdicas e uma missa de encerramento. Os custos orçados pela equipe organizadora serão de R$ 3.750,00.

Na prática, veja como um Plano de Ação para esse evento poderia ser colocado no papel:

O QUÊ?	Promover um retiro para os adolescentes
POR QUÊ?	Integrá-los e possibilitar um momento de espiritualidade
ONDE?	Chácara da Associação dos Funcionários Públicos Municipais
QUEM?	João Paulo, coordenador do grupo
QUANDO?	06/07 (primeiro domingo das férias)
COMO?	* 1º passo: Realizar reunião com os pais para obter o apoio deles e criar um comitê de trabalho composto por adolescentes para levantar propostas de atividades. * 2º passo: Elaborar a programação do retiro. * 3º passo: Levantar todos os recursos necessários – financeiros e materiais. * 4º passo: Definir a equipe que trabalhará durante o retiro (recepção, copa, cozinha, limpeza, palestras, música e recreação). * 5º passo: Efetivar as inscrições dos participantes. * 6º passo: Realizar o retiro. * 7º passo: Pós-encontro: avaliar os resultados do retiro.
QUANTO?	O custo total orçado para o encontro é de R$ 3.750,00, já incluindo a locação da chácara, decoração do local, transporte e alimentação dos participantes, bem como a compra de brindes que serão sorteados ao longo do dia.

Esse exemplo foi baseado em uma atividade específica e, claro, colocado de maneira muito simples e resumida. Porém, o Plano de Ação há de ser pensado de forma global e incluir as demais prioridades que vocês pretendem executar durante o ano. O exemplo do 5W2H do retiro dos adolescentes deve, portanto, ser seguido também para o planejamento das duas ou três outras metas-chave que o grupo terá de atingir.

O plano do grupo precisa estar alinhado com o plano paroquial

É importante lembrar ainda que, na hora de definir o cronograma de compromissos do seu grupo, vocês precisam analisar o calendário de eventos da comunidade evitando, por exemplo, agendar um retiro logo no fim de semana da festa junina da paróquia. Nessas datas, seu grupo precisa se fazer presente e ajudar nos preparativos e na realização da festa da comunidade.

O Conselho de Pastoral Paroquial (CPP) é quem define o que será feito ao longo do ano em uma paróquia. Esse conselho, previsto no Código de Direito Canônico (Cân. 536), é presidido pelo pároco e constituído por lideranças da comunidade paroquial, conforme critérios definidos pelas diretrizes diocesanas.

Tendo a oportunidade de participar de um CPP, você perceberá que muitas iniciativas não podem ser implementadas no curto prazo porque os recursos da Igreja são finitos. Ou seja, não há dinheiro ou pessoas suficientes para colocar em prática todas as boas ideias suscitadas. Então, fica a recomendação: um bom planejamento deve ser feito com os pés no chão e contemplar o momento mais adequado para viabilizá-lo com começo, meio e fim.

> Se algum de vós quer construir uma torre, não se senta primeiro para calcular os gastos, a fim de ver se tem o suficiente para terminar? Caso contrário, ele vai pôr o alicerce e não será capaz de acabar. E todos os que virem isso começarão a zombar: Este homem começou a construir e não foi capaz de acabar. (Lc 14,28-30)

Nunca se esqueça de que tudo o que se pretende realizar na vida é pago com tempo ou dinheiro. Na maior parte das vezes, com os dois. De nada adianta elaborar grandes e ótimos projetos e não saber como comprometer pessoas talentosas e levantar recursos financeiros para concretizá-los. Por isso a importância da sintonia entre você, os integrantes de seu grupo pastoral e as principais lideranças da paróquia.

Não são projetos mirabolantes que marcam uma boa ação pastoral e sim a quantidade de amor e dedicação com que se empenha em uma tarefa. Isso enobrece e engrandece qualquer boa obra, por menor que seja.

Ainda sobre o planejamento...

- **Lembre-se de que metas são diferentes de simples tarefas.** Só podemos chamar de meta aquele alvo que revela um propósito desafiador, de realização possível, com significância para o grupo e/ou comunidade e prazo máximo de execução. Ou seja, é algo que exige esforço, competência e engajamento coletivo ao longo de algum tempo, que é possível ser feito e tem data para conclusão. Fazer reuniões semanais ou limpar o armário do grupo que fica nos fundos da igreja são tarefas necessárias, mas não podem ser consideradas metas.

- **Foquem dois ou três projetos, no máximo.** Muitos grupos pastorais despendem energia simultaneamente em várias iniciativas, depois não conseguem dar conta delas e acabam desistindo de tudo. Recorde-se de que, além das metas, vocês ainda têm de cumprir a rotina de trabalho que já ocupa a maior parte do tempo do grupo.

20
O que fazer para tirar as ideias do papel

A maior parte dos planos não se materializa porque ainda hoje muitas pessoas acreditam que o importante ato de descrevê-los em folhas de papel é suficiente para que as coisas aconteçam. No entanto, o fato é que, ao concluir o processo de planejamento, o trabalho difícil de verdade – que é executá-lo – ainda nem começou.

Alguns anos atrás, o consultor Stephen Kanitz escreveu um artigo na revista Veja alertando que inúmeros brasileiros "têm muita iniciativa e pouca acabativa". Começam várias coisas e depois não despendem energia suficiente para concretizá-las.

Líderes com um perfil pouco resolutivo ajudam a nutrir em seu grupo pastoral o sentimento de que "nada acontece" por ali. Torna as pessoas descrentes das mudanças ou, no mínimo, céticas em relação a tudo aquilo de novo que é proposto.

Mas como acontece com uma semente que acaba de ser plantada e, anos depois, rende bons frutos, sua liderança também pode ser repleta de progressos se você seguir algumas orientações. São elas:

1) Continue a falar sobre o plano e as metas para seu time

Como mobilizador de pessoas, você precisa fazer que os membros de seu grupo entendam claramente os objetivos propostos, por que vale a pena atingi-los e quais passos serão dados ao longo da missão evangelizadora, antes mesmo da caminhada começar. Contudo, não espere que, falando uma ou duas vezes, já será suficiente para que todos assimilem a importância das ações e do trabalho a ser feito.

Na prática, precisamos ser "evangelizadores do plano" no dia a dia. Falar sobre ele até que as pessoas o assimilem de verdade. Algumas pessoas acolhem o que você diz logo da primeira vez e isso é ótimo! No entanto, outras precisam de tempo e repetição para compreender e aceitar que aquilo que seu líder diz ser relevante o é de fato.

Talvez tenha escutado em algum lugar que ser redundante é algo ruim, mas isso não vale para o exercício da liderança. Você pode – e deve – variar os canais e a forma de dizer aquilo que é importante e precisa estar disposto a pregar inúmeras vezes as mesmas coisas, se necessário for, até conquistar a adesão do grupo. Ainda mais quando prega mudanças.

> Os liderados precisam se certificar de que você leva a sério aquilo que diz ser importante.

2) Mostre às pessoas que as metas refletem as necessidades do grupo

Um grande desafio da liderança é fazer que as prioridades "calem fundo no coração" de todos os envolvidos no trabalho evangelizador. Se os liderados entendem que aquilo que o grupo precisa alcançar é especialmente um projeto pessoal do líder, perdem a motivação e o trabalho não deslancha.

Por isso, envolva os liderados desde as primeiras conversas sobre o planejamento para que eles se sintam coautores dos projetos, permaneçam engajados e queiram trabalhar neles de verdade. Sem um verdadeiro compromisso coletivo, as iniciativas até podem sair do papel, mas demandarão muito mais tempo e esforço da sua parte.

3) Procure discernir como cada liderado poderá ajudá-lo

Quanto maior o engajamento de uma equipe que sabe olhar na mesma direção, maiores as chances de sucesso. E você vai ver, ao longo da sua caminhada como líder, que algumas pessoas demonstrarão diferentes níveis de compromisso. Haverá quem é muito bom em dar palpites, mas não coloca a mão na massa; aquelas pessoas aparentemente engajadas (que colaboram, desde que não sejamos muito exigentes); outras que permanecerão comprometidas independentemente do volume de trabalho que tiverem; e haverá ainda quem esteja disposta a investir muito dinheiro de seu próprio bolso para tirar projetos do papel.

Você terá de saber lidar com essas diferenças. Não pode exigir o mesmo nível de comprometimento de todo mundo. Muita gente pouco se envolve por falta de interesse, porém alguns esbarram em compromissos familiares, profissionais e acadêmicos que lhes tomam o tempo, ou estão trabalhando em outras atividades na própria Igreja. Um grave erro é despejar todo o trabalho no colo de quem já está sobrecarregado. Se isso ocorrer, ele poderá se sentir injustiçado e ainda não dar conta de cumprir tudo o que lhe foi pedido. Há um ditado que diz: "Quem abraça tudo não segura nada". No trabalho pastoral, as pessoas vivem diferentes realidades e o líder precisa saber discernir.

4) Implante boas práticas de execução

Com o passar do tempo, chegamos a ter conhecimento de algumas ações que líderes eficazes costumam colocar em prática para que as iniciativas de seu grupo tenham continuidade e ótimos resultados. A boa notícia é que você também pode adotá-las com um pouco de disciplina, pois são bastante simples e de fácil implantação:

– **Conquiste o compromisso das pessoas desde o início.** No dia em que vocês concluírem o planejamento geral, imprima uma cópia do documento na hora e peça que todos subscrevam nele o nome. Esse "contrato" será muito importante se quiser a adesão emocional das pessoas durante os meses seguintes.

– **Deixe claro o que precisa ser feito mês a mês.** Para facilitar a execução das metas traçadas, recomendamos que vocês subdividam o planejamento de tal forma que os membros do grupo saibam o que deve ser cumprido a cada mês para progredirem. Isto é, todos reconheçam os indicadores do avanço de curto prazo.

– **Exponha o plano em algum lugar para todos verem e lembrarem dele.** Se vocês se reúnem costumeiramente em uma mesma sala, encontre um espaço nela para colocar um cartaz ou *banner* com as metas estabelecidas. Precisamos de algo que nos recorde, a todo momento, as prioridades a serem alcançadas.

– **Programe reuniões de verificação ao longo do ano.** A cada 60 ou 90 dias, no máximo, vocês precisam mensurar os progressos para saber se as coisas caminham conforme o planejado ou se é necessário mudar algo. Você não quer descobrir só no fim do ano que nada andou, não é mesmo?

– **Dê suporte àqueles que precisam ser apoiados.** Alguns membros do seu grupo têm uma capacidade de execução maior, por isso você precisa apenas dizer o que quer deles e o trabalho logo será feito.

Todavia, algumas pessoas não são realizadoras ou disciplinadas e você terá de acompanhá-las de perto ou então as coisas não vão acontecer.

– **Celebre os pequenos progressos.** Especialmente no caso de metas difíceis ou de longo prazo, é importante celebrar as conquistas pontuais para que todos possam ter a certeza de que estão avançando, apesar de muita coisa ainda precisar ser feita. Como ocorre na construção de uma casa, em que os pedreiros geralmente fazem um churrasco – pago pelo dono do imóvel – para comemorar a conclusão da primeira laje.

Aliás, a construção civil é uma metáfora perfeita para este capítulo. Todo projeto de edificação é executado por etapas e a compensação – no caso da obra, o pagamento – ocorre após a verificação, ou medição, daquilo que foi realizado em determinado período. A missão dentro da Igreja também é uma obra de edificação. Os grupos precisam de lideranças que saibam planejar e, especialmente, executar aquilo que foi projetado.

5) Avalie os resultados

É seu papel como líder, ainda, fazer um balanço das atividades realizadas após a conclusão de cada meta ou projeto e também no fim do ano. Para isso, promova encontros de avaliação com a presença de todos os liderados.

Com o Plano de Ação escrito no começo do ano em mãos, você terá condições de ponderar com as pessoas o que realmente saiu do papel, o que não saiu e por que, eventualmente, determinado projeto não foi sequer iniciado.

Mas tenha cuidado com duas situações que comumente acontecem com muitos coordenadores:

- *Ater-se somente aos elogios, como se tudo estivesse às mil maravilhas.* A incapacidade de apontar o que realmente não foi bom ou precisa ser melhorado leva o grupo a uma ilusão de sucesso e à estagnação.

- *Ou destacar apenas o que ainda falta e os problemas.* Isso mina a energia do grupo e ainda o frustra, provocando um desgaste que pode levar meses até ser superado. Lembre-se: motivar é difícil, mas para desmotivar você só precisa de uma conversa fora do tom.

Também aproveite esse encontro de avaliação para enfatizar os avanços conquistados pelo grupo e elogiar seus liderados pela dedicação e comprometimento na execução das tarefas. Destaque as ações positivas e termine a avaliação com uma fala de esperança, que entusiasme a todos.

Claro que o momento será também de discutir o planejamento do próximo ano. Dê oportunidade e abertura para as pessoas proporem ideias e sugestões. Essa reunião, no final das contas, acaba representando um ritual de passagem, que marca o fim de um ciclo.

21
Importância de delegar tarefas

Delegar tarefas é uma habilidade crítica na liderança. Gestores que centralizam a execução dos trabalhos neles mesmos, além de ficarem sobrecarregados, transmitem a impressão de que não acreditam na capacidade de seu grupo ou que só eles são capazes de fazer um trabalho bem feito. Isto é, veem os liderados como incompetentes ou a si como super-heróis.

O impacto desse estilo de liderança na equipe é visível: pessoas desmotivadas – já que não encontram espaço para contribuir – ou acomodadas – porque sabem que você vai carregar todo o peso em suas costas e resolver aquilo que aparecer pela frente.

Até mesmo Jesus Cristo delegou tarefas aos discípulos, pois Ele não podia estar em mais de um lugar ao mesmo tempo e precisava levar sua mensagem ao maior número possível de pessoas.

> Depois disso o Senhor escolheu mais setenta e dois de seus seguidores e os enviou de dois em dois a fim de que fossem adiante dele para cada cidade e lugar aonde Ele tinha de ir. (Lc 10,1)

Após a ascensão, os apóstolos seguiram o exemplo do Mestre e também contaram com o auxílio de colaboradores para anunciar e propagar a Boa Nova pelo mundo. Paulo enviou Tíquico e Onésimo a Colossos (Cl 4,7-9) para levarem informações de seu estado de prisioneiro; Timóteo, Tito e Filêmon foram seus colaboradores, aos quais também escreveu uma carta. Pedro enviou Silvano (1Pd 5,12). O cristianismo nasceu, cresceu e se fortaleceu por meio de uma rede de colaboradores.

O conselho de Jetro

Lembre-se do conselho recebido por Moisés de seu sogro, Jetro, após a fuga do Egito. Ao ver o genro com manhãs, tardes e noites ocupadas atendendo o povo, que o procurava para resolver pendências com base nas leis de Deus, desaprovou sua forma centralizadora de trabalhar:

> Então Jetro disse: – O que você está fazendo não está certo. Desse jeito você vai ficar cansado demais, e o povo também. Isso é muito trabalho para você fazer sozinho. (Ex 18,17-18)

O organograma implementado por Moisés até aquele momento era, basicamente, algo próximo à figura da página seguinte. Jetro, então, aconselhou-o a ensinar ao povo as leis de Deus e explicar o que deveria fazer e como deveria viver. E acrescentou:

> Mas você deve escolher alguns homens capazes e colocá-los como chefes do povo: chefes de mil, de cem, de cinquenta e de dez. Devem ser homens que temam a Deus, que mereçam confiança e que sejam honestos em tudo. Serão eles que sempre julgarão as questões do povo. Os casos mais difíceis serão trazidos a você, mas os mais fáceis eles mesmos poderão resolver. Assim será melhor para você, pois eles o ajudarão nesse trabalho pesado. Se você fizer isso, e se for essa a ordem de Deus, você não ficará cansado, e todas essas pessoas poderão ir para casa com suas questões resolvidas. (Ex 18,21-23)

21. Importância de delegar tarefas

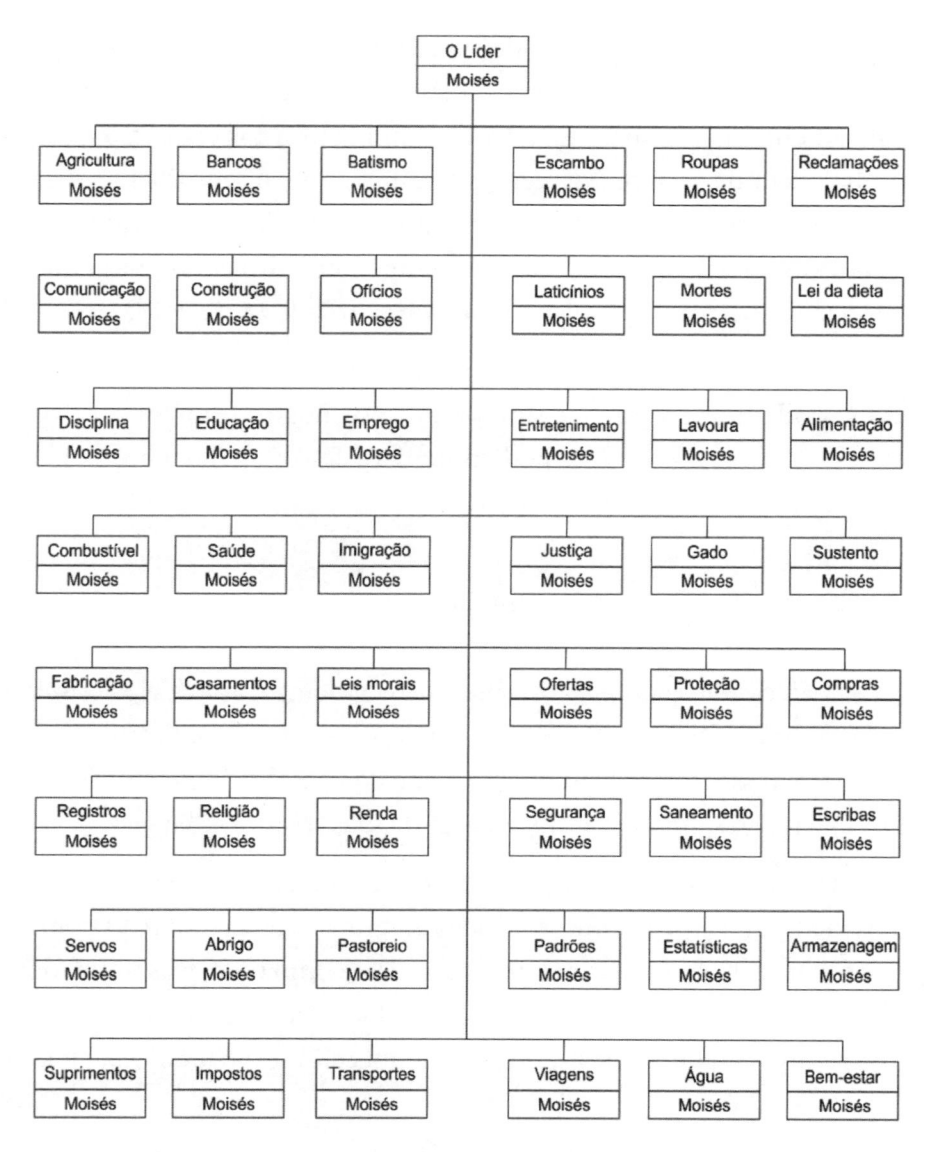

		O Líder Moisés			
Agricultura Moisés	Bancos Moisés	Batismo Moisés	Escambo Moisés	Roupas Moisés	Reclamações Moisés
Comunicação Moisés	Construção Moisés	Ofícios Moisés	Laticínios Moisés	Mortes Moisés	Lei da dieta Moisés
Disciplina Moisés	Educação Moisés	Emprego Moisés	Entretenimento Moisés	Lavoura Moisés	Alimentação Moisés
Combustível Moisés	Saúde Moisés	Imigração Moisés	Justiça Moisés	Gado Moisés	Sustento Moisés
Fabricação Moisés	Casamentos Moisés	Leis morais Moisés	Ofertas Moisés	Proteção Moisés	Compras Moisés
Registros Moisés	Religião Moisés	Renda Moisés	Segurança Moisés	Saneamento Moisés	Escribas Moisés
Servos Moisés	Abrigo Moisés	Pastoreio Moisés	Padrões Moisés	Estatísticas Moisés	Armazenagem Moisés
Suprimentos Moisés	Impostos Moisés	Transportes Moisés	Viagens Moisés	Água Moisés	Bem-estar Moisés

Figura 9: Organograma de Moisés

Moisés aceitou o conselho do sogro e fez exatamente como ele havia dito. Aprendida a lição, passou a pregá-la a terceiros, convencendo-os de que esse modelo de gestão facilitaria o cumprimento da missão também por parte de outras lideranças.

É exatamente o que você deve fazer no trabalho que desenvolve dentro da Igreja. Não tome os projetos do grupo que lidera como unicamente seus, afinal nunca conseguirá colocá-los em prática sozinho, além de se sobrecarregar e ficar exausto. Se seus liderados se sentirem parte importante das iniciativas, com certeza trabalharão comprometidamente e empregarão tempo, dinheiro e tudo mais que for necessário para conquistar o que foi acordado entre vocês.

Lembre-se, também, de que grandes feitos não acontecem quando trabalhamos sozinhos e sim ao unirmos nossos esforços com os de outras pessoas. Juntos, podemos mais. Isso é realidade na vida secular e também dentro da Igreja.

Delegar é um ato de humildade

A autossuficiência e a arrogância não combinam com a vida cristã, até porque o líder não sabe de tudo, e pode muito mais junto com o grupo. Além disso, é bom lembrar que o fato de você distribuir a execução de tarefas não significa que irá livrar-se de suas responsabilidades.

Um dos erros na hora de delegar é tentar repassar aos liderados atividades que você, como coordenador, não quer executar. O compartilhamento de tarefas não pode ser visto como uma oportunidade de se desvincular de trabalhos incômodos ou difíceis. Portanto, ao distribuir as incumbências, procure conhecer e respeitar a capacidade e as afinidades de cada pessoa.

Ao mesmo tempo, você deve desenvolver o potencial de todos. Pode ser que alguém do grupo não queira assumir determinada tarefa simplesmente porque tem medo de se arriscar em algo novo, e não necessariamente por ser incapaz de realizá-la. É nessa hora que o líder entra em ação, ajudando a pessoa a acreditar em si mesma e a chegar mais longe.

Contudo, pedimos que você tenha bom senso: é benéfico desafiar os membros do grupo a sair da "zona de conforto pastoral", mas precisamos respeitar os limites de cada pessoa. O efeito pode ser contrário, e ainda fazer muito mal ao indivíduo, caso ele seja forçado a realizar algo pelo qual não se interessa, do que não está convencido ou para o qual não tem suficiente capacidade.

Para quem delegar

Seu papel de líder consiste em desenvolver o potencial dos liderados e encorajá-los a encarar novos desafios, mas você deve ter a consciência de que não dá para confiar alguns tipos de trabalho para qualquer um.

Não estamos querendo dizer que você poderá ser traído ou coisa parecida. Mas, se escolher a pessoa com o perfil inadequado para determinada tarefa e o resultado for um verdadeiro fiasco, ela terá sido exposta, e essa atitude inconsequente com certeza enfraquecerá o grupo e a sua própria credibilidade como líder. Por isso analise muito bem os talentos de cada um, antes de distribuir os afazeres.

Outro erro bastante comum na hora de delegar é dar sempre as mesmas tarefas para as mesmas pessoas. E, pior, demonstrar mais confiança ou predileção por algumas do que por outras. O líder tem de valorizar e contar com a ajuda da equipe, mesmo sabendo que nem todos podem fazer de tudo. Muitos coordenadores costumam reclamar de seus liderados e criticam o desempenho da equipe. Por vezes, melhor seria questionarem a própria capacidade de liderar e de agregar forças para realizar um projeto,

> "Não existem maus soldados e sim maus generais."
> Napoleão Bonaparte

pois bem diz certo ditado atribuído a Napoleão Bonaparte: "Não existem maus soldados e sim maus generais".

Na conhecida Parábola dos Talentos (Mt 25,14-30), contada por Jesus, um homem sai em viagem e convoca os empregados para tomar conta de sua propriedade. Para isso, entrega uma quantia em dinheiro de acordo com a capacidade de cada um, certamente respeitando seus limites pessoais.

> E lhes deu dinheiro de acordo com a capacidade de cada um: ao primeiro deu quinhentas moedas de ouro; ao segundo deu duzentas; e ao terceiro deu cem. Então foi viajar. O empregado que tinha recebido quinhentas moedas saiu logo, fez negócios com o dinheiro e conseguiu outras quinhentas. Do mesmo modo, o que havia recebido duzentas moedas conseguiu outras duzentas. Mas o que tinha recebido cem moedas saiu, fez um buraco na terra e escondeu o dinheiro do patrão. (Mt 25,15-18)

Ao interpretar essa parábola, na maioria das vezes, pensamos que o patrão é Deus e nos colocamos no lugar dos empregados. Mas, desta vez, vamos direcionar um olhar diferente para o episódio. Imagine que é você quem delegou uma tarefa importante a um grupo de pessoas. Você procuraria conhecer a capacidade de cada liderado e distribuiria as responsabilidades de acordo com as limitações e competência de cada um, correto? Você conta com a possibilidade de alguém não atingir o objetivo e não corresponder à confiança depositada? Se isso ocorrer, qual a sua atitude?

É importante entender que a mesma história relatada por Jesus poderá acontecer no trabalho pastoral, porém não é motivo para que deixe de delegar. Durante a sua caminhada na Igreja, é provável que você se depare com pessoas, por alguma razão, limitadas em certas tarefas, que não podem jamais ser desprezadas.

21. Importância de delegar tarefas

Bom líder é quem consegue valorizar e extrair o melhor que cada pessoa pode dar dentro de seus limites. Deus concedeu dons e capacidades a todos, e na caminhada cristã todos podem colaborar, posto que "ninguém é tão pobre que não tenha nada para dar e ninguém é tão rico que não tenha nada para receber" (Dom Helder Câmara, 1909-1999).

Numa cidade do interior havia um jovem com uma vontade imensa de colaborar e sentir-se útil ao grupo do qual participava. Porém, ele tinha limitações cognitivas. O coordenador do grupo, percebendo sua boa vontade, não quis deixá-lo sem nenhuma incumbência e teve a ideia de colocá-lo como responsável por cuidar das chaves da igreja a fim de abri-la com antecedência para os encontros de domingo e depois fechá-la. Isso significou muito para ele e foi motivo de grande alegria, porque sentiu-se valorizado, confiável e útil aos olhos da comunidade. O grupo realmente precisava de alguém para aquela função e ele a desempenhou muito bem.

Delegue, não "delargue"

O ato de delegar exige tempo e dedicação das lideranças para orientar e acompanhar o trabalho dos liderados. Porém, não é raro ver líderes que não delegam e sim "delargam". Mas, afinal, qual a diferença entre delegar e "delargar"? Delargar significa literalmente despejar uma tarefa no colo de alguém sem acompanhá-lo ou orientá-lo, ou então deixar que tudo transcorra à própria sorte. O verdadeiro líder é paciente, exerce o papel de educador e se mantém próximo das pessoas até que elas aprendem a caminhar sozinhas.

Há um tipo muito especial de delegação que é o **empoderamento**. Ele se dá quando o líder compartilha atividades enriquecedoras – que geram aprendizado e/ou um sentimento de realização –, e não apenas um trabalho burocrático ou desinteressante. Ao empoderar seus liderados hoje você os ajuda a se desenvolver, pois eles passam a valorizar mais todas as etapas dos projetos e serviços pastorais e adquirem um olhar sistêmico acerca do trabalho feito na Igreja. E isso é essencial para que a comunidade tenha mais gente preparada para assumir novas responsabilidades.

Concordamos que é muito sedutor centralizar as tarefas quando o líder ocupa uma posição de evidência na comunidade e todos ainda reconhecem que ele faz um ótimo trabalho. No entanto, transmitir aos liderados – com simplicidade e no curto prazo – tudo aquilo que aprendeu a duras penas é um ponto crucial do seu papel de líder. Aquele pensamento antiquado do tipo "Eu aprendi sozinho e eles também terão de se virar sem nenhum tipo de apoio" é incompatível com o que o Senhor espera de cada um de nós.

22
O passo a passo da delegação

Tendo mostrado a importância da delegação para seu trabalho de coordenador, vamos agora explicar-lhe como você pode distribuir as tarefas entre os membros do grupo pastoral na prática.

Segundo Donna Genett (2011), existem cinco passos durante o processo de delegação que precisam ser seguidos para que, ao final, você acumule bons resultados. São eles:

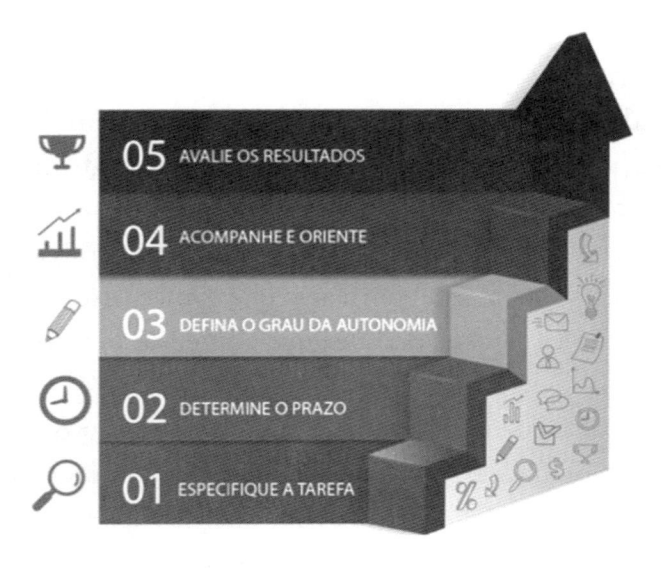

Figura 10: Passo a passo da delegação

1º) Especifique a tarefa

O primeiro passo da delegação é descrever e especificar muito bem ao liderado a tarefa a ser realizada. Diga claramente a ele o que precisa ser feito e como quer que faça. É recomendável, também, que você peça à pessoa que verbalize a atividade que deverá ser executada para se assegurar de que tudo foi bem compreendido.

2º) Determine um prazo máximo para a entrega

Depois de explicar exatamente o que quer, é importante combinar um prazo máximo para a execução da tarefa. Uma das principais falhas dos líderes no processo de delegação é justamente não determinar claramente o "até quando". Em vez de pactuarem dia, mês, ano e hora em que esperam o fechamento do trabalho, acreditam que os membros do grupo pastoral têm a obrigação de adivinhar o grau de urgência da atividade em questão.

Outra recomendação é você delegar aos liderados **tarefas de curto prazo** e **temporárias**. Os motivos são estes:

- Rapidamente conseguirá avaliar como as pessoas se comportam quando têm de lidar com responsabilidades bem delimitadas. Isto é, quem faz acontecer e quem acaba se perdendo no meio do trabalho.
- Sua intervenção, se necessária, tem tudo para ser assertiva porque é mais fácil ficar atento a algo que começa e termina durante uma única semana do que àquele projeto com três meses de duração.
- No caso de alguém se mostrar hesitante em aceitar ou não novas responsabilidades, a consciência de que o compromisso ainda é temporário geralmente faz com que ele tope colaborar uma primeira vez. Como ocorre quando convida alguém para auxi-

liá-lo na cozinha de um retiro que acontecerá no próximo final de semana: "Você nos ajuda desta vez e depois pensa se quer ou não continuar a colaborar. Pode ser?" É difícil ouvir uma resposta negativa depois.

Importante. Tratando-se de um trabalho novo, nunca antes realizado por seu grupo pastoral, tenha o cuidado de delegar a tarefa com bastante antecedência. Se deixar para pedir a execução dela em cima da hora, o risco de insucesso será muito maior.

3º) Defina o grau de autonomia de cada um

É imprescindível que você informe o grau de autonomia que cada liderado terá para a execução dos trabalhos a serem feitos. Existem três tipos:

- *Autonomia para recomendar.* Quando a pessoa pesquisa um roteiro de ação e propõe uma alternativa.
- *Autonomia para informar sobre a ação e colocá-la em prática.* Quando ela pesquisa o melhor caminho e reporta ao coordenador suas impressões, a fim de obter a aprovação e começar a executar.
- *Autonomia para agir.* Quando tem o poder pleno para atuar no caso concreto.

Atenção! Alguns coordenadores acabam dando autonomia demais para pessoas que não estão totalmente preparadas para a execução de certas atividades, ou concedem pouco espaço de atuação àqueles que poderiam dar conta do trabalho sem grandes riscos.

4º) Acompanhe e oriente o trabalho do grupo

Essa recomendação vale, principalmente, para projetos de longa duração dentro da Igreja. Líderes têm o dever de acompanhar e orientar o trabalho do grupo pastoral para se certificarem de que tudo está sendo feito conforme o planejado. Para isso, é importante agendar reuniões de verificação periódicas.

Nesses encontros, você pode se informar sobre o desenvolvimento dos trabalhos e terá a chance de sugerir possíveis correções, apontar caminhos ou mesmo elogiar as pessoas. Ainda que tenha dado a elas autonomia total para agir, não deixe de fornecer apoio e tomar conhecimento do que está sendo realizado.

5º) Avalie os resultados

Por último, e não menos importante, você deve sentar-se com seu grupo para avaliar os resultados do trabalho. Aproveite o momento para fazer um "balanço". É uma oportunidade de analisar se os recursos foram usados de modo satisfatório, destacar o que se aprendeu e o que pode ser feito melhor da próxima vez.

Temos certeza de que, ao final desse processo, você estará convencido de que descentralizar foi uma das principais decisões que já adotou como gestor. Ainda mais quando constatar que os projetos pastorais passaram a caminhar sem que precise colocar os dedos em tudo. Reforçando aquilo que comentamos no capítulo anterior, o ato de delegar o faz um líder melhor e dá oportunidade para as pessoas crescerem. Trabalhe para isso!

23
Como conduzir reuniões produtivas

As novas tecnologias se tornaram ótimas aliadas para comunicados urgentes e lembretes. *E-mail*, grupos de WhatsApp e aplicativos de videoconferência são ferramentas rápidas e práticas que podemos utilizar para interagirmos com as pessoas da comunidade. Porém, como já reforçamos em um outro momento, elas não substituem as reuniões presenciais, que são muito importantes para organizar a agenda, estabelecer objetivos, distribuir tarefas, avaliar os projetos pastorais e, especialmente, aproximar as pessoas.

Mas, é claro que você não vai marcar reuniões por qualquer motivo. O excesso de encontros cansa e é preciso levar em conta que aquele que doa seu tempo para as atividades da Igreja também possui outros afazeres na esfera familiar e profissional. As pessoas estão cada vez mais ocupadas e cheias de compromissos, e o líder de grupo precisa ter consciência disso. Convocar seus liderados de última hora para discutir assuntos pouco relevantes é desrespeitoso. O ideal é estabelecer uma periodicidade de encontros em um calendário anual, que seja de comum acordo entre todos os participantes.

Para evitar embaraços e ajudá-lo a conduzir reuniões de forma eficaz, separamos algumas recomendações a respeito do que você tem de fazer antes, durante e depois dos encontros presenciais com seus liderados.

Antes da reunião

Quando for convocar as pessoas para uma reunião, tenha em mãos uma **pauta** com os assuntos que serão tratados. É recomendável divulgá-la antecipadamente aos integrantes do grupo, para que todos cheguem bem informados sobre o que conversarão e possam contribuir com ideias e sugestões. Se as pessoas não sabem por que têm de comparecer e o que será tratado, vão ao encontro despreparadas e as chances de a reunião se tornar pouco produtiva são enormes.

Além dos principais temas, qualquer pauta deve contemplar um momento de oração e acolhida a possíveis novos membros da equipe ou visitantes. Também recomendamos incluir os assuntos da paróquia, levando em conta o tempo civil e o religioso. Por exemplo, se o encontro ocorrer no mês da celebração de *Corpus Christi*, o grupo deve aproveitar a oportunidade para dialogar de que forma se dará a sua participação nas atividades programadas e como poderá contribuir para a organização e execução do trabalho.

Ordene os assuntos de acordo com a relevância de cada um. Seu papel como líder é levar ao conhecimento da equipe os temas mais urgentes e importantes, que carecem ser resolvidos no curto prazo. Se você anda muito ocupado, não há problema algum em pedir a colaboração de alguém do grupo para levantar os assuntos, ou escolher uma pessoa para preparar a oração. E não se esqueça sempre de dar a todos a oportunidade de participação e garantir que **as reuniões tenham hora para começar e terminar**. A pontualidade vai aumentar a sua credibilidade perante os liderados e os fará comparecer com mais boa vontade à reunião, pois sabem que o horário não será extrapolado.

Durante a reunião

Nossa sugestão é que o encontro **comece com uma oração**, o que não deve se reduzir a apenas uma Ave-Maria ou um Pai-nosso. Prepare um momento de espiritualidade, a partir da Palavra de Deus. A oração não deve ser um apêndice, vista como algo que atrapalhe ou atrase a reunião. Tem de ser preparada com antecedência e transmitir uma mensagem. Os responsáveis pela oração podem se revezar: ao término da reunião, já se designa quem preparará a próxima.

Na sequência, aborde os **assuntos mais importantes** e se, por acaso, o tempo não for suficiente para tratar todos os itens da pauta, aquele tópico que considerar menos relevante poderá ser deixado para o próximo encontro.

Outra boa prática é, de vez em quando, confiar a alguém a **condução da reunião**. Nem sempre você precisa estar no comando. Também é recomendável nomear um secretário responsável pela ata, na qual ficarão registrados todos os assuntos abordados.

Não deixe que conversas paralelas desfoquem o grupo ou que polêmicas desnecessárias sejam criadas. E após a explanação dos assuntos, já proponha ao grupo a **tomada de decisões** – se for oportuno –, caso contrário o encontro pode se tornar infrutífero. Ainda, aproveite o final da reunião para fazer uma leitura dos itens anotados e ver se todos estão de acordo.

Também é interessante reservar alguns minutos para **retomar pendências anteriores** ou fazer um **balanço dos trabalhos realizados**. Vamos imaginar que seu grupo ficou responsável pela barraca do quentão na Festa Junina realizada pela paróquia. Você precisa avaliar com os liderados como foi esse trabalho. Tudo correu bem? Ficou além ou aquém das expectativas? Esse tipo de *feedback* é importante para orientar as próximas ações e evitar a repetição de erros.

Depois da reunião

Com tudo discutido e devidamente anotado, o próximo passo é preparar uma ata. Sim, parece muito formal, algo feito apenas pelas empresas, mas na Igreja é um documento muito importante para que você saiba se o grupo que lidera está caminhando na direção certa. A ata é uma boa "memória" que pode ser retomada em encontros seguintes, se necessário, e ainda se torna um relato histórico da caminhada do grupo.

Mas, afinal, o que é preciso anotar nesse documento? Basicamente **o que se discutiu, quais decisões foram tomadas, quem fará o quê,** e **até quando**. Ou seja, os temas tratados, os apontamentos principais citando-se o nome de quem os fez, as decisões que o grupo tomou, os responsáveis pelas tarefas a serem implementadas, os resultados esperados e o prazo final de execução de cada trabalho. Também é interessante listar os assuntos que não foram discutidos ou que precisarão ser retomados na pauta do próximo encontro.

Pela ata você conseguirá saber se a reunião realmente valeu a pena ou se só serviu para cumprir um agendamento prévio. Infelizmente, é comum pessoas fazerem "reunião para marcar reunião" e, quando isso ocorre, a sensação de todos os presentes é de que perderam seu tempo. Se deixar que tais situações se repitam, os integrantes do grupo vão acabar desmotivados e descrentes de que é possível progredir. Pense nisso!

24
Falhas de liderança que prejudicam os resultados

Você já parou para pensar por que alguns líderes católicos são bem-sucedidos no trabalho pastoral e outros não? Os motivos podem ser diversos. Separamos este espaço para destacar alguns dos principais erros dos coordenadores de grupos na Igreja.

Leia com atenção e descubra se, de repente, algo lhe parece familiar:

1 - Pessimismo
2 - Arrogância
3 - Centralicação
4 - Falta de foco
5 - Acomodação
6 - Desatualização
7 - Perfeccionismo
8 - Falta de tato com as pessoas
9 - Dificuldade de escutar

Quadro 2: Erros comuns dos líderes pastorais

1) Pessimismo

O pessimismo faz a pessoa ver somente o lado negativo das coisas, leva a conclusões precipitadas de que nada dará certo e ainda antecipa a derrota.

Você já experimentou aquele sentimento de que algo vai dar errado antes mesmo de tentar? Se você age como coordenadores que acham que se deve seguir certos padrões – às vezes até ultrapassados – para realizar tarefas e fecha os ouvidos e a mente para ideias novas, concluindo que nada diferente pode ser tentado, precisa repensar a sua forma de liderar. Caso não mude, acabará rejeitando soluções que poderiam facilitar, simplificar e agregar mais ao seu trabalho.

> "Há muitos líderes que, infelizmente, têm o carisma muito feio de desanimar os outros."
> Frei Elias Vella

Permita-nos a ousadia de perguntar: Você é daquele tipo de líder que acredita que o que não deu certo no passado não presta? Se algo lá atrás deu errado – mesmo tendo sido feito por outras pessoas e num momento diferente – já considera que não vale a pena ser tentado novamente? Costuma apegar-se aos 10% que foi negativo e se esquece dos 90% que funcionaram?

A postura de derrotismo é muito prejudicial para a liderança. Quando fecha os ouvidos e rechaça ideias antes de testá-las, você acaba inibindo as pessoas, que poderão não se sentir mais à vontade, seguras ou confortáveis para trazer coisas novas, sugerir, dizer o que pensam, propor soluções. E isso é ruim tanto para você como para o grupo.

2) Arrogância

É importante que você seja um líder confiante, seguro e que sabe para onde deve ir, mas ninguém gosta de gente arrogante por perto. Por isso o excesso de autoconfiança é prejudicial, leva o líder a não consultar outras pessoas e a não dedicar tempo suficiente ao planejamento das ações do grupo, por exemplo.

E o resultado é que pode acabar virando um líder afeito a soluções de última hora, afinal confia em si mesmo como ninguém e acha que sempre pode dar um jeitinho em tudo. Esse tipo de comportamento acaba se tornando um péssimo exemplo para o grupo e pode, inclusive, levá-lo a agir de forma imprudente.

3) Centralização

Já falamos da importância da comunhão, não é mesmo? E comunhão supõe descentralização. Em qualquer projeto ou atividade, você jamais deve fazer tudo da sua maneira, como se fosse um "déspota", ignorando ou desvalorizando os demais membros. Todos têm algo a dar de si e do que sabem. Você precisa extrair o que cada pessoa tem de melhor para conseguirem trabalhar com união de forças e apoio recíproco.

> Líder é aquele que move os demais; não o que faz tudo sozinho.

Ao mesmo tempo, dar autonomia demasiada a quem você sabe que provavelmente não irá cumprir as atividades que lhe foram confiadas é um erro gravíssimo. O mesmo é esperar que todos concordem com uma proposta para colocá-la em prática. **Mudanças importantes nunca partem de unanimidade.** É seu papel conduzir a equipe, apontar os caminhos e confiar as tarefas às pessoas certas.

Mas é claro que tudo isso deve ser feito de forma muito tranquila e com abertura ao diálogo. Bons líderes sabem ouvir e valorizar as contribuições do grupo. Lembre-se: não existem ideias estúpidas. Algumas sugestões podem, a princípio, parecer despropositadas ou malucas, mas não as descarte de imediato, nem rechace a pessoa que as propõe. Aquela ideia, vista hoje como inoportuna, amanhã talvez venha a ser ponto de partida para um bom projeto do grupo.

4) Falta de foco

Alguns líderes têm muitas e boas iniciativas, porém baixíssima capacidade de realização porque lhes falta foco. Empolgam-se facilmente com as novas possibilidades que se apresentam diante dos olhos, ignorando que aquilo que foi começado há pouco ainda precisará de sua dedicação – às vezes exclusiva – durante certo tempo até amadurecer.

É claro que você conhece pessoas que têm grande capacidade de manter o foco em várias coisas ao mesmo tempo e de modo equilibrado, mas não esqueça que elas são minoria. Como lembramos anteriormente, dirija sua energia para, no máximo, dois ou três importantes projetos que farão a diferença em sua comunidade e que você tem condições de administrar simultaneamente.

5) Acomodação

Há quanto tempo você está na liderança de seu grupo pastoral? Por vezes, é importante parar, refletir e analisar se não chegou o momento de aceitar novos desafios e abrir espaço para outras pessoas também participarem e crescerem.

Na Igreja, é comum existirem líderes que ficam anos à frente de movimentos ou grupos e, mesmo que inconscientemente, criam uma redoma em torno de si mesmos, acomodam-se em fazer as coisas e em ditar ordens e não aceitam dar um passo à frente; afinal, tudo parece funcionar bem. Quando alguém sugere algo novo, são capazes de dizer: "Estou aqui há décadas e sei melhor do que você o que dá certo e o que não dá".

Tal atitude é prejudicial, já que trava o processo de revezamento, tão sadio para a engrenagem pastoral, e da descoberta de novos líderes, com ideias e projetos capazes de fazer a comunidade encontrar novos caminhos e crescer ainda mais.

6) Desatualização

Você tem o costume de ler, informar-se e querer aprender cada vez mais sobre seu trabalho pastoral e a Igreja, em geral? Muitos coordenadores não procuram conhecer documentos, publicações e *sites* que tratam de assuntos relevantes para a sua missão.

Vamos imaginar quem lidera a Pastoral do Dízimo. Parte de seu papel de líder é se informar sobre tudo o que é divulgado a respeito do assunto, seja em livros, revistas especializadas, congressos, ou em um discurso do papa.

Quem dedica um tempo para ler, estudar e se atualizar sobre os assuntos referentes ao seu trabalho paroquial tem segurança para abordar as mais diferentes questões, discernimento para orientar as pessoas e, especialmente, sabedoria na hora de propor e tomar decisões.

7) Perfeccionismo

Há líderes relapsos, que mostram pouco comprometimento com o que fazem. Mas existem também aqueles que são dedicados acima da média e até demasiadamente perfeccionistas. Tanto um estilo quanto o outro são contraproducentes. Há um ditado que diz: "Ser perfeito é desumano". E realmente! Exigências em excesso fazem mal para todo mundo.

O perfeccionismo faz você perder tempo, consome mais recursos e o esgota por coisas, na maioria das vezes, irrelevantes. Até as pequenas tarefas ganham grandes proporções sem necessidade. Todos nós conhecemos pessoas que não conseguem tirar boas ideias do papel simplesmente porque acreditam: "O projeto ainda não está pronto! Precisamos analisar, nos mínimos detalhes, tudo o que pode dar errado antes de tocá-lo em frente".

Até que ponto um trabalho na Igreja deve prosseguir ou ser levado adiante? O mesmo remédio pode curar ou matar, dependendo da dose. O capítulo 1 do Gênesis destaca por seis vezes que Deus, quando criou tudo o que existe, "viu que era bom". Sábio é o líder que, como Deus, reconhece quando o trabalho que ele e seu grupo desenvolveram com dedicação e capricho já está suficientemente bom por atingir o seu propósito e garantir o essencial. Talvez desta verdade tenha surgido a expressão popular: "O ótimo, às vezes, é inimigo do bom".

8) Falta de tato com as pessoas

Muitos coordenadores de grupo têm um conhecimento invejável e se dedicam admiravelmente ao que fazem, porém são "analfabetos em relações humanas", pois não conseguem incorporar a ternura e a bondade de Jesus Cristo. Leem livros, participam de cursos formativos e encontros espirituais, ouvem homilias que tocam na ferida, mas mesmo assim não mudam seu jeito de ser. Isso porque não tomam para si aquilo que aprendem – já que não percebem suas "zonas cegas" – ou simplesmente porque preferem atenuar o próprio comportamento ("Não fui tão rude assim", costumam dizer).

Um caso concreto:

> Em uma manhã, Terezinha me procurou aos prantos. Estava extremamente chateada por se sentir maltratada por José, seu companheiro de grupo pastoral. Reclamou que ele foi grosseiro, insensível, impositivo e nada humilde. Tentei consolá-la o máximo que pude e, em seguida, fui visitar Fátima, uma paroquiana recém-chegada, de quem tinha encomendado um trabalho. Quando estava para partir, esta também me relatou uma situação semelhante na qual foi desrespeitada por uma líder da paróquia. Numa mesma manhã, ouvi praticamente a mesma reclamação, inclusive com iguais termos, a respeito do comportamento de lideranças da comunidade. O que surpreendeu é que essa segunda pessoa foi maltratada por Terezinha, exatamente a primeira que reclamou. Para Terezinha, o José não sabe tratar as pessoas. Para Fátima, Terezinha também não sabe. Se ambos (José e Terezinha) não tiverem humildade e sabedoria suficiente para se autoavaliar e escutar o que as pessoas têm a dizer sobre o comportamento deles, possivelmente continuarão ofendendo e sendo ofendidos. Viverão uma vida inteira fazendo estragos nos bastidores da paróquia, dando contratestemunho e, pior ainda, afastando as pessoas.

9) Dificuldade de escutar

Essa talvez seja a principal falha dos líderes pastorais, exatamente porque impede que qualquer um deles tenha ciência dos danos que o pessimismo, a arrogância, a falta de foco e a acomodação, por exemplo, podem causar.

Praticamente todos os respeitados líderes pastorais que conhecemos são, antes de mais nada, ótimos ouvintes. Gente capaz de acompanhar um debate acalorado durante uma hora sem falar absolutamente nada e depois, em menos de cinco minutos de argumentação, apresentar a via conciliatória que todos procuravam. Eles são sensíveis para "enxergar" aquilo que ninguém mais vê.

Mas não pense que se tornar um bom ouvinte é fácil. A escuta ativa exige estudo e muito treinamento, pois geralmente não escutamos para compreender o outro e sim para responder àquilo que ele diz. Como dizia o escritor Rubem Alves: "Sempre vejo anunciados cursos de oratória. Nunca vi anunciado curso de escutatória. Todo mundo quer aprender a falar... Ninguém quer aprender a ouvir".

✳ ✳ ✳

Você percebeu que a lista de erros cometidos por coordenadores de grupos pastorais é grande, não é? Quão importante é, então, que antes de avançar para o próximo capítulo, você reflita sobre suas atitudes diante do trabalho que desenvolve na comunidade.

O problema de muitas lideranças religiosas é que elas já se consideram bem preparadas e não veem a necessidade de se autoavaliar; confiam em seus velhos esquemas e rechaçam qualquer coisa que soe como novidade; reconhecem a verdade de certas afirmações, mas acreditam que não lhes são pertinentes, servem para os outros. Não raro, um líder reclama dos erros e falhas alheias sem perceber que ele mesmo é igual ou pior do que aquele de quem reclama.

Ser capaz de enxergar a si mesmo e, com coragem e determinação, corrigir as próprias falhas e aprimorar o modo de viver é um claro sinal de sabedoria. Faça esse exercício!

Parte V

Capacitando sucessores

25
Importância de abrir espaço para novas lideranças

> Jesus disse-lhe: "Cuida de minhas ovelhas. Em verdade, em verdade te digo: quando eras jovem, tu mesmo amarravas teu cinto e andavas por onde querias; quando porém, fores velho, estenderás as mãos, e outro te amarrará pela cintura e te levará para onde não queres ir". (Jo 21,17-18)

Mais importante do que o trabalho que realiza hoje é o legado que deixará para seu grupo pastoral. Vamos colocar a questão de forma muito simples: no curto prazo, podemos dizer que um bom líder é aquele que alcança os resultados esperados, com o apoio da equipe; no longo prazo, percebemos quem foi um grande líder pelo modo como as pessoas que trabalharam ao seu lado procedem quando ele já não está mais por perto.

E, voltando ao exemplo de Jesus, isso fica ainda mais claro. Após

> "Qualquer que seja o trabalho, seu papel não é apenas fazer as coisas como devem ser feitas hoje, mas idealizar a maneira como deverão ser feitas amanhã."
>
> John Kotter, especialista em gestão da mudança

Sua ascensão, os apóstolos e discípulos partiram e foram anunciar a Boa Nova por toda a parte. A missão foi tão bem assimilada que hoje, mais de 2.000 anos após o nascimento de Cristo, o Evangelho continua sendo pregado pelo mundo afora. É por isso que, assim como Jesus, o Bom Pastor, você deve se preocupar em preparar pessoas que tenham condições de sucedê-lo. E esse é um trabalho que não pode ser feito de última hora, um mês antes de deixar a coordenação. Os três anos acompanhando Jesus em sua vida pública também foram uma escola preparatória para a futura missão dos apóstolos.

Já parou para pensar quanto tempo levará para que consiga preparar uma pessoa que possa substituí-lo na coordenação? Não?! Então sentimos dizer que você tem falhado feio em parte de seu papel de líder.

Ninguém é insubstituível. Se quiser deixar um **legado**[8] por onde passa, invista tempo na formação de sucessores. Nem sempre eles farão exatamente tudo como lhes ensinou – o que é muito bom, por sinal –, mas você terá convicção de que realizou um trabalho notável quando puder observá-los, algum tempo depois, e ver que "alcançaram o topo de montanhas" que, durante a sua liderança, você nem mesmo tentou escalar.

O importante é que cada pessoa, ao passar pela responsabilidade de uma coordenação, dê sua contribuição e agregue ainda mais ao grupo, ajudando em seu crescimento. É lamentável que trabalhos religiosos tão produtivos, e até mesmo paróquias pastoralmente pujantes, tenham ido à falência por falta de pastoreio e de lideranças com habilidade e sabedoria para levar bons projetos adiante.

Renovação é importante

---

[8] Que fique bem claro que o "legado" a que nos referimos não é a perpetuação da memória da sua pessoa ou do seu trabalho às gerações futuras, mas sim que uma ou mais práticas implantadas por você deverão ser transmitidas e continuadas por outros que o sucederão.

25. Importância de abrir espaço para novas lideranças

Por mais dedicado e competente que seja, um coordenador nunca conseguirá atender a todas as necessidades de um grupo. Esse é um dos motivos pelos quais precisamos revezar as pessoas que ocupam posições de liderança. Além de dar um novo fôlego ao trabalho, os sucessores poderão suprir lacunas e encontrar soluções mais acertadas para determinadas questões. Mas não entenda mal. Não estamos dizendo que os ex-coordenadores falharam na missão, apenas que, como todo ser humano, eles também têm lacunas. **Ninguém é bom em tudo, enxerga tudo e consegue fazer tudo que precisa ser feito.** O que o sucessor precisa evitar é criar ou aumentar ainda mais os eventuais problemas.

Sabemos que mudanças geram uma sensação de insegurança. Muitos grupos não costumam aceitar tão bem a troca de comando de um líder, que tenha desempenhado seu trabalho com competência, por alguém que não pareça muito capaz. Isso pode acontecer, sobretudo, quando o substituto não foi devidamente preparado. A sucessão não pode significar apenas "colocar outro" no lugar. Para uma transição tranquila, o líder que está prestes a deixar o cargo precisa ter dedicado tempo e atenção ao treinamento do seu sucessor.

> Não há sucesso sem sucessão.

Responsabilidade compartilhada

É interessante destacar, ainda, que a sucessão é positiva tanto para quem sai como para quem entra. Na Igreja, não é raro ver pessoas ocupando uma coordenação por longos anos. Muitos líderes, cansados das tarefas, acabam ficando apenas no "feijão-com-arroz" cotidiano. Por isso é importante repartir a responsabilidade. O coordenador que desempenhou um bom trabalho durante certo período pode continuar contribuindo como membro do próprio grupo e em outras áreas da paróquia. Seu sucessor, por sua vez, terá a oportunidade de crescer, adquirir experiência e colocar seus dons a favor da equipe e da comunidade.

Uma nova liderança, além de trazer ideias diferentes, pode atrair mais pessoas para o grupo e aproveitar melhor o potencial de membros que já participam e podem atuar com mais dinamismo e eficácia.

Por isso, insistimos: a alternância entre os líderes é muito importante e positiva para todos. Esperamos que agora você passe a enxergar o processo sucessório como uma verdadeira missão e já se prepare para treinar um colega que possa assumir as tarefas que hoje lhe cabem, quando seu período de coordenação estiver concluído.

Mas, se esses argumentos ainda não forem suficientes, deixamos por fim as palavras do frei Elias Vella:

> Quando os soldados capturaram Jesus, Ele lhes disse para deixarem os Apóstolos irem em paz: "Se é, pois, a mim que buscais, deixai ir estes" (Jo 18,8). É como se Jesus estivesse dizendo: "Vocês estão me capturando, mas a Minha mensagem não. Esta Eu entrego a estes líderes. Eles a proclamarão a toda a criatura".

O Mestre sabia que a sua mensagem não seria aprisionada, mas propagada ao redor do mundo por aqueles que caminharam com Ele fielmente. O bom líder tem confiança em seus liderados e sabe que, mesmo na sua ausência, a missão continuará e a obra não acabará.

26
O processo de formação de sucessores na paróquia

Vamos entender, então, na prática, o que você deve fazer ao preparar pessoas para assumirem a liderança de grupos pastorais, movimentos ou equipes de serviços da paróquia. Lembra-se do exemplo de Jesus, que mencionamos no capítulo anterior? Pois bem, Ele foi tão cuidadoso como mentor que, durante os três anos em que percorreu a Galileia para pregar sobre o Reino de Deus, manteve os apóstolos e os discípulos sempre ao seu lado, avaliando como se comportavam nas mais diferentes situações a fim de orientá-los e fortalecê-los. E você, o que precisa fazer?

1º passo: Identifique os potenciais sucessores

O processo deve começar com o exercício da observação e escuta. Nos primeiros meses da sua liderança, já deve manter olhos e ouvidos atentos a tudo o que as pessoas dizem, fazem

> "Quem crê em mim fará as obras que eu faço, e fará ainda maiores do que estas."
>
> (Jo 14,12)

e como se comportam. Você vai conseguir identificar, com o tempo, quem se destaca naturalmente entre os colegas; quem é mais solícito, atento ou pontual; quem dá conta das tarefas de forma satisfatória, assume responsabilidades e dá conta do recado; quem consegue trabalhar em comunhão e é aceito pelo grupo.

Claro que nem sempre você vai encontrar todos esses predicados em uma única pessoa, mas fique tranquilo. Muitas habilidades podem ser trabalhadas ao longo do tempo quando a terra que recebe a semeadura é boa. O que não pode faltar em um futuro sucessor é espiritualidade, vontade de fazer acontecer, traquejo pessoal para lidar com os liderados e um profundo compromisso com a missão.

Passado esse período inicial de observação, procure escolher dois liderados que considera talentosos e disponíveis para ocupar a sua posição dentro de algum tempo. Por que dois e não apenas um? Como diz um velho ditado, "quem tem só um, não tem nenhum". Imagine que você dirige todo o esforço possível na formação de Joaquim para que ele possa sucedê-lo mas, no momento de transmitir o cargo, ele se sente desmotivado ou precisa declinar o convite porque vai mudar de cidade. Sentimos informá-lo, mas você terá de reiniciar o processo de sucessão praticamente do zero.

Além disso, ao preparar dois potenciais líderes desde o começo, vocês podem chegar a um acordo, qual seja, um deles assume a coordenação e o outro, a vice-coordenação. Com esse pequeno cuidado, talvez pareça que a tática é evitar que alguém se sinta preterido mais adiante, contudo o fato é que você já está ajudando o novo coordenador a preparar o sucessor dele.

A eleição do apóstolo Matias, descrita em At 1,15-26, nos dá algumas lições básicas:

- Ao indicarem Barsabás e Matias para ocupar a vacância de Judas Iscariotes, os primeiros apóstolos mostram que precisamos ter a capacidade de formar mais líderes comunitários do que aqueles que são necessários no curto prazo (versículo 23).

- A oração que os apóstolos dirigiram a Deus, antes da escolha do sucessor de Judas, revela-nos que a eleição de um novo líder paroquial precisa ser feita com base na vontade do Senhor (versículo 24). Por isso, joelhos no chão.

- O fato de tirarem a sorte ao final de todo o processo demonstra a confiança nos dois nomes em jogo (certamente estavam preparados para a missão), confiança em Deus (versículo 26), e a não manipulação da escolha, revelando uma atitude de total desapego e liberdade com relação tanto a um quanto ao outro.

2º passo: Busque a aprovação do padre

O mandato de uma liderança à frente de grupos normalmente é estabelecido pelas diretrizes diocesanas ou pela organização paroquial. Suponhamos que, em seu caso, seja de até dois anos. Como o processo de formação de sucessores é longo e requer dedicação das partes envolvidas, recomendamos que um ano antes você já converse com o pároco sobre quem pode ficar em seu lugar. E a quatro ou cinco meses do fim do mandato, comece o processo de transição propriamente dito.

Esses prazos são necessários porque você deve considerar que pode acontecer de não encontrar alguém que seja capaz ou mesmo que queira assumir seu lugar. A dinâmica é diferente daquela que ocorre nas empresas, em que dificilmente um funcionário vai dizer não a uma promoção, mesmo se isso significar que ele terá de fazer aquilo de que não gosta.

Na Igreja, as pessoas nem sempre estão dispostas a assumir uma posição de liderança, pois sabem que ela significa mais responsabilidades. Por isso, se não encontrar ninguém dentro do próprio grupo disposto ao desafio, precisará de tempo suficiente para atrair pessoas de fora e – antes do término do seu mandato – possibilitar que elas convivam com a equipe durante um tempo.

Aliás, trazer uma liderança de fora pode ser uma boa ideia se o grupo necessita de uma "terapia de choque" para mergulhar até águas mais profundas. Gente que vem de fora costuma provocar um novo frescor, chega com vontade de fazer acontecer e pode ser o estímulo que os liderados precisam para finalmente voltarem a crescer. Porém, tais pessoas necessitam ser humildes, conquistar a amizade e a confiança de todos, respeitar a caminhada do grupo e conhecer com propriedade em que consiste sua missão.

Só um detalhe: pode acontecer de o pároco não aprovar nenhum dos nomes que você sugerir. Muitas vezes, isso soa como birra ou descaso do sacerdote com suas escolhas, mas tenha em mente que ele pode conhecer problemas das pessoas indicadas que você ignora, e as tornem impossibilitadas de desempenhar um papel de liderança na comunidade, ou por conhecê-las profundamente, saber de antemão que não estão aptas para assumir seu lugar. Nesses casos, você terá de buscar outros nomes; por isso o quanto antes alinhar suas ideias com as do padre, melhor.

3º passo: Comece a treinar seu sucessor

Escolha feita e desafio aceito, é hora de começar a compartilhar com o sucessor aquilo que sabe. Portanto, dali em diante recomendamos que ele passe a acompanhá-lo nas tarefas rotineiras da liderança a fim de você poder explicar-lhe o trabalho que faz, como executa seu papel no dia a dia, o que leva em conta na hora de tomar decisões e como se dá a relação do coordenador com a paróquia e o pároco.

Portanto, tem uma questão-chave no meio de tudo isso. Para que a transição aconteça da melhor forma possível, você precisa sentir-se verdadeiramente responsável pelo sucesso do seu substituto. Só assim vai dedicar o tempo e a atenção que ele precisa enquanto ainda está amadurecendo.

Também é fundamental que você e o sucessor participem juntos de encontros de formação ao longo do ano. Se a sua paróquia não tem o costume de promover tais cursos, sugerimos que converse com o pároco e, se necessário, ajude-o a organizar esses treinamentos. Retiros de capacitação ajudam as pessoas a se conhecerem, crescerem, enxergarem novas possibilidades, amadurecerem e ainda fortalecem a caminhada dos grupos.

Todo bom líder sabe que não há recompensa maior do que formar, ao longo da caminhada, pessoas que possam dar continuidade ao trabalho que ele iniciou. Todavia, o Mestre nos ensina que só conseguimos "passar o bastão" com segurança se convivermos com nossos sucessores o máximo de tempo que pudermos durante o processo de transição.

Caso amanhã seu substituto consiga realizar um trabalho tão bom ou melhor do que o seu, existem motivos de sobra para considerar que você realmente cumpriu bem o papel de coordenador. Se o novo líder for um fracasso, o grupo e a paróquia ficarão no prejuízo, e todo o seu trabalho, anteriormente bem-sucedido, irá por água abaixo por falta de continuidade.

27
As tentações de quem precisa formar sucessores

Por que muitos líderes não conseguem formar bons substitutos? Existem algumas respostas para essa pergunta. Em geral, eles falham por três motivos:

- *Não trabalham pelo êxito do sucessor;*
- *Formam clones; ou*
- *Optam pelo dependente leal.*

Vamos entender cada um deles e o que fazer para não cair nessas tentações.

1) Não trabalham pelo êxito do sucessor

Quando um coordenador apegado ao cargo é obrigado a deixar a liderança por causa do término do seu mandato ou porque a substituição foi solicitada pelo pároco, é natural que não se esforce em descobrir, preparar e apoiar o sucessor. Alguns ainda vão além, torcendo pelo insucesso daquele que vem depois.

O líder que inicia a formação do seu substituto com esse sentimento demonstra imaturidade e fará de tudo para que as chances da pessoa se sair bem nas tarefas sejam ínfimas. Certamente, não investirá tempo e dedicação para transmitir tudo o que deve. Vai preferir ver seu colega em apuros ao lidar com situações críticas.

Pior quando, em uma atitude anticristã, tenta agrupar pessoas contra a nova gestão, torce pelo fracasso daquele que o sucedeu e, soberbamente, se deleita com seus erros. São imensuráveis os males que pseudolíderes, gente infeliz e mal-resolvida, causam no ambiente de igreja.

2) Formam clones

O segundo erro grave no processo de formação de um sucessor é a tendência que certos líderes têm de escolher clones para substituí-los. Costumamos nos agrupar por afinidades, não é mesmo? Mas o fato é que nem sempre aquelas pessoas de que mais gostamos e que têm modos de pensar e agir parecidos com os nossos serão as escolhas mais adequadas para assumir uma posição de liderança.

Antes de mais nada, se o sucessor pensar igualzinho a você, o grupo não evoluirá e ainda poderá retroceder; afinal, é preciso crescer em outros âmbitos. Lembre-se de que ele está assumindo a liderança em um novo contexto e as práticas que deram certo ao longo da sua gestão podem se revelar fora de propósito ou, no mínimo, conservarem o cheiro de algo requentado. Resumindo: o novo líder poderá ser uma versão piorada do que você já foi um dia.

Algumas vezes, também vemos que tais escolhas podem desgostar quem as fez porque o novo líder logo se desmama do antecessor, promovendo sensíveis mudanças no *status quo*. Confira um caso verídico no qual o sucessor foi bem escolhido, mas o líder substituído não gostou do que viu:

27. As tentações de quem precisa formar sucessores

> Marcos precisou acumular a coordenação de dois grupos pastorais e o fazia com mão de ferro. A certo ponto, reclamava muito que o fardo estava pesado e possivelmente não poderia continuar. Por seu estilo dominador, eu (o pároco) previa que a sucessão não seria fácil, apesar dele mesmo reclamar do excesso de trabalho. Apresentei dois nomes que considerava preparados e pedi que opinasse sobre quem achava que seria a melhor alternativa. Ele escolheu Eduardo, deixando claro que eram amigos e os trabalhos teriam bom prosseguimento. A pessoa escolhida era também minha primeira opção por ser alguém determinado, organizado, interessado em aprender e que ainda sabia tratar bem as pessoas. Eduardo assumiu e de imediato imprimiu seu modo de trabalhar, reorganizando algumas coisas, chamando mais gente para ajudar, usando a criatividade etc. Em meio tempo, a relação de amizade entre os dois amigos foi abalada. Marcos não admitia que Eduardo fosse diferente em alguns procedimentos, que não dependesse dele para tomar decisões, que estivesse ampliando o número de colaboradores da pastoral. Eduardo sofreu pressão, mas não se deixou intimidar e prosseguiu porque, com bom senso, ele sabia o que estava fazendo. Se fosse uma liderança frágil certamente teria virado uma marionete nas mãos de Marcos. Há pessoas que reclamam que estão cansadas apenas para obter reconhecimento e receber um afago, mas não querem deixar o poder. É triste que isso aconteça em uma paróquia.

Na Igreja, os argumentos mais comuns ouvidos pelos párocos é que o coordenador ainda não encontrou alguém apto o suficiente para substituí-lo ou então "ninguém quer assumir". Pode ser que, no fundo, o que se pretende, mesmo que inconscientemente, é achar um clone. É aquela sensação: você fez um bom trabalho e não quer deixar que alguém o estrague. Pode tratar-se também de um aparente excesso de zelo, cuja motivação principal é outra: permanecer no poder, atuando nos bastidores.

3) Optam pelo dependente leal

Há líder que tende a acreditar que, alguém do grupo, simplesmente por ser leal, prestativo e não dar problemas, possa sucedê-lo sem maiores dificuldades; porém, essa pessoa talvez seja incapaz de assumir o ônus da missão, já que está acostumada a agir como dependente. Falando com clareza, ela não é uma boa opção, a não ser que você queira prejudicar o time ou esteja buscando um líder de fantoche para poder manipular.

É preciso discernimento para perceber se o futuro coordenador que você acredita capaz de sucedê-lo tem ascendência sobre os outros integrantes do grupo e perfil para liderar. Ele tem os atributos necessários para assumir as responsabilidades de uma liderança paroquial ou é um excelente "soldado de apoio" que faz seu trabalho quietinho?

É claro que pode acontecer de o novo líder – mesmo tendo um reconhecido potencial –, ao substituir uma liderança que foi muito eficaz, acabe se sentindo desencorajado e queira se reportar ao ex-coordenador o tempo todo com medo de desagradá-lo. Isto é, o sucessor entende que tem um dever emocional de prestar contas. Nessa hora, o antigo líder precisa demonstrar grandeza ao ajudá-lo a acreditar em si mesmo e na capacidade de dar prosseguimento aos trabalhos.

O que fazer então?

Talvez você não queira admitir, mas, possivelmente, tenha se sentido sujeito a algumas dessas tentações, não é verdade? Fique tranquilo. Esses sentimentos são mais comuns do que imagina e não ocorrem apenas no ambiente da Igreja, mas também nas empresas e demais organizações. Porém, não se conforme e evite ser vulnerável a essas inclinações.

27. As tentações de quem precisa formar sucessores

Para não cair na tentação de torcer pelo fracasso do sucessor, de querer escolher clones ou indicar pessoas sem perfil de liderança para ocupar seu lugar na coordenação do grupo pastoral, separamos algumas orientações importantes:

1) Procure alguém que preencha lacunas

Como comentamos no capítulo anterior, todo ser humano possui limitações. Então, no empenho de formar um sucessor, você deve levar em conta suas limitações e procurar uma pessoa que seja capaz de resolver pendências que, porventura, tenha deixado durante sua permanência na liderança do grupo.

Para sucedê-lo você irá perceber que a melhor pessoa poderá ser aquela diferente de você e que, por vezes, é de difícil trato e nem sempre concorda com o que diz ou até costuma questioná-lo. Descartar de cara candidatos de alto potencial simplesmente porque eles discordam da gente é um erro a ser evitado.

Muitas vezes, será justamente esse colega que vai trazer um novo olhar, arejar o ambiente, fazer que o grupo crie novo ânimo e reavive o interesse em continuar a caminhada. Evidentemente, também deve discernir se a pessoa tem um mínimo de carisma pessoal e sinta alguma atração pela missão que irá assumir. Responsabilidade, comprometimento e solicitude com o grupo e a Igreja são requisitos essenciais para qualquer líder pastoral, tenha ele afinidade com você ou não.

E mais: não se aborreça se o sucessor escolhido logo implantar iniciativas que mudem o *status quo* e divirjam daquilo que você sempre acreditou ser o correto. Quem sabe seu antigo grupo realmente precisa daquele tipo de choque que só um novo coordenador pode dar.

2) Pense no futuro da comunidade

O fato de ter que abrir mão da posição formal de liderança de um grupo não significa que você fez um trabalho ruim. Mais uma vez, repetimos: a missão de longo prazo de todos nós é formar novas lideranças. Precisamos, tanto quanto os outros, prosseguir adiante e crescer. Quem não desocupa o posto e não caminha em outras searas tem tudo para estagnar e impedir que pessoas com grande potencial evoluam. E você, como discípulo missionário, precisa pensar no bem da comunidade e não apenas em manter seu posto e em fazer prevalecer suas convicções e vontades.

Liderança também é um exercício de humildade e doação ao próximo, como viu ao longo dos capítulos anteriores. Por isso empenhe todos os esforços necessários para desenvolver ideias e implementar projetos enquanto estiver na coordenação do seu grupo pastoral. E quando chegar a hora de passar o bastão, lembre-se de dedicar a mesma atenção para apoiar aquele que deverá dar prosseguimento ao trabalho que você começou.

3) Permaneça próximo

Outra coisa importante é manter o canal aberto com seu sucessor, pois talvez seja necessário aconselhá-lo no curto prazo, sempre num tom humilde e sereno, não de quem impõe, mas de quem sugere.

Pessoas que assumem pela primeira vez uma missão de liderança na Igreja geralmente se deparam com a necessidade de tomar decisões difíceis sem terem ainda a bagagem que líderes experientes já adquiriram. Por isso, se você estiver próximo dele, poderá e deverá atuar como mentor.

27. As tentações de quem precisa formar sucessores

Ainda sobre esse assunto, não recomendamos que você saia do grupo logo depois de cumprir seu mandato. Pode ser que exista o desejo de "tirar o pé do acelerador" ou "buscar novos ares" – especialmente se esteve à frente das coisas ao longo dos últimos anos –, contudo, evite uma despedida brusca, caso o afastamento seja sua decisão.

A saída imediata do líder pode dar a impressão de ter havido uma ruptura entre ele e os que permaneceram (mesmo não sendo esse o caso) e o novo líder ainda ficará sem as contribuições que aquele poderia oferecer, mesmo que discretamente.

28
Como substituir líderes há muito tempo coordenadores

É comum que, na Igreja, algumas lideranças estejam durante muitos anos à frente de grupos pastorais, movimentos ou equipes de serviço. Diferentemente do que ocorre em grande parte das empresas, que possuem um plano de carreira e, com isso, incentivam seus funcionários a se aperfeiçoarem para subir degraus, nas paróquias esse tipo de "promoção" não existe. Mas com o argumento de que deverão "assumir novos desafios", os padres e conselhos paroquiais conseguem substituir líderes que estão, há muito tempo, na mesma coordenação.

Para evitar que a saída de coordenadores seja traumática, é preciso usar algumas táticas e fazer que eles não se sintam "abandonados" ou "excluídos". A imposição da mudança pode ser muito antipática. Por isso, o mais interessante é que se estabeleçam, nas paróquias, **regras de transição das lideranças** e se proponha a formação de sucessores.

Devemos lembrar que, muitas vezes, um coordenador perpetuou-se no cargo não por culpa dele, mas porque foi conveniente ao pároco ou aos seus antecessores que ele permanecesse à frente de determinado grupo. Por conseguinte, quando isso ocorre, é necessário que haja paciência e caridade pastoral para levar adiante as substituições inevitáveis.

Uma sugestão para promover a alternância entre os líderes na sua comunidade é o cumprimento, pelo pároco, das normas diocesanas, cujo período para mandatos de coordenações pastorais pode variar de uma diocese para outra. Ou, na falta de uma diretriz diocesana, o próprio Conselho Pastoral Paroquial determinar um prazo máximo, com possibilidade de prorrogação ou não. E é claro, o ideal é que todos os líderes sejam informados a respeito dessas normas com um ano de antecedência, para que tenham tempo suficiente de "processar" a transição e formar bons sucessores.

Em tempo: é conveniente para a maioria das paróquias que as trocas de coordenações ocorram na virada do ano e, logo na sequência – até o mês de fevereiro –, aconteça um encontro espiritual e formativo com as novas lideranças. Retomaremos esse assunto no próximo capítulo.

A Igreja deve demonstrar o quanto é grata pela contribuição dos fiéis engajados na vida comunitária e, ao mesmo tempo, estimulá-los a crescer e abrir portas para a chegada de novas lideranças, que também podem colaborar e necessitam progredir. Contudo, é preciso sabedoria para proceder de forma correta e caridosa com quem está deixando o cargo.

Bom pastor é aquele que toma as medidas necessárias sem perder nenhuma ovelha. Ou seja, que tem a capacidade de substituir coordenadores, sem que eles abandonem a comunidade magoados com a "perda do posto".

Para isso, recomendamos que, antes de mais nada, se incentive cada líder a cultivar o sentimento de dever cumprido. Saber que o bom combate valeu a pena é confortador.

Outra recomendação é **ajudá-lo a encontrar, na paróquia, uma nova missão**, na qual possa continuar dando sua colaboração e sentindo-se útil. Afinal, uma questão crítica que se põe a quem conclui qualquer ciclo na vida comunitária é: "O que vou fazer agora?" Sua saída da liderança não significa que ele tenha de deixar o grupo, mas também é possível que ele precise de algo novo e desafiador em outro trabalho paroquial. Se ocorrer, deve ser visto por todos com naturalidade.

Substituir coordenadores que estão há muito tempo à frente da comunidade é uma missão bastante delicada, não é mesmo? Portanto, comece conscientizando-os de que ciclos de mudança na coordenação são importantes, estabeleça consenso entre os líderes paroquiais sobre o prazo máximo que eles ficarão à frente de seu grupo pastoral, determine uma data para a alternância e valorize quem finaliza seu ciclo. E lembre-se de deixar muito claro à comunidade que todos têm o direito e o dever de colocar seus dons a serviço da Igreja.

> "Então Jesus disse: 'Vão pelo mundo inteiro e anunciem o Evangelho a todas as pessoas'."
>
> (Mc 16,15)

29
A "passagem de bastão" para o novo coordenador

Como vimos nos últimos capítulos, seria uma atitude totalmente anticristã, e até desumana, deixar a coordenação sem qualquer processo de transição, como quem diz "agora é com você, o problema é seu, vire-se!"

Mas quais são os passos a serem seguidos na hora de transmitir o papel formal de liderança?

1º passo: Coloque-o a par do trabalho que você faz

Como explicamos no capítulo 26, a "passagem de bastão" propriamente dita começa no momento em que a pessoa escolhida aceita o convite de substituí-lo e não apenas no dia em que você deixa a posição de líder.

Por isso, quanto antes informar o sucessor sobre a rotina de trabalho que cabe ao líder e ajudá-lo a entender as atribuições e compromissos centrais que amanhã ele terá de assumir, mais fácil será o processo de transição. Se pensarmos que convém que toda troca de coordenação seja feita no começo do ano, esse trabalho de "iniciação" deve acontecer por volta do mês de agosto e seguir até dezembro.

Uma dúvida que talvez esteja surgindo agora na sua cabeça é: "Mas, na prática, o que eu devo transmitir ao sucessor?" Acreditamos que, ao longo dos meses anteriores à "passagem do bastão", você precisa fornecer a ele:

- Um cadastro atualizado dos componentes do grupo, com nome, telefone, *e-mail* e foto.
- As atas das principais reuniões que aconteceram ao longo do seu mandato.
- O Plano Pastoral da paróquia e da diocese.
- Informações detalhadas sobre os projetos que estão em andamento e não podem sofrer descontinuidade.
- Agenda anual com as datas e horários das reuniões, encontros e compromissos ordinários e extraordinários do grupo, bem como informar as atribuições do grupo em eventos paroquiais e diocesanos.

Também não deixe de orientá-lo sobre questões práticas que geralmente acabam sendo deixadas de lado. Se ele ainda não liderou algum grupo na paróquia, por exemplo, e precisa participar do CPP dali em diante, é necessário explicar como as reuniões do conselho funcionam e a postura que ele deve ter nesses encontros.

Aponte também quais atividades ou metas considera prioritárias ao longo dos primeiros meses da nova gestão, e explique bem o Plano Pastoral da paróquia e da diocese, com o qual precisa estar sintonizado e comprometido.

2º passo: Comunique o grupo

Se o grupo que você coordena não participou do processo de escolha do novo líder, convém reunir todos os membros a fim de informá-los quem estará no comando em breve. Recomendamos que você faça isso logo depois de o sucessor aceitar o convite, já que assim evita que a informação vaze, causando qualquer tipo de burburinho. Ainda é de bom tom que o novo coordenador esteja presente e diga algumas palavras ao grupo, se possível. Contudo, evite uma conversa muito demorada, pois você não está se despedindo; trata-se apenas de um comunicado.

3º passo: Avalie seu mandato

Um mês antes de transmitir a coordenação, faça uma reunião de prestação de contas com o objetivo de destacar as principais conquistas que obteve, os obstáculos enfrentados e as possíveis lacunas e pendências que ficarão para o novo líder resolver. Aliás, esse momento também é muito importante para quem o substitui e tem várias ideias na cabeça, mas ainda precisa definir com clareza quais desafios priorizará.

4º passo: Sugira a realização de um encontro de boas-vindas para as novas lideranças e despedida de quem cumpriu seu papel

Para formalizar a mudança das lideranças paroquiais é oportuno que a paróquia promova um encontro especial de boas-vindas, formação, informação e confraternização entre os novos e os antigos coordenadores. Apresentar quem sai e quem chega, expressar gratidão[9] por aqueles que dedicaram seu tempo em favor dos grupos e, ao mesmo tempo, acolher com alegria quem aceitou dar continuidade à missão.

---

[9] É possível expressar gratidão ao líder que se despede com atitudes simples, como oferecer flores, presenteá-lo com um livro ou entregar um cartão com uma mensagem assinada pelo pároco e por quem responde pela coordenação do CPP, por exemplo.

O momento também é relevante para explicar aos novos coordenadores como funciona a organização da paróquia em relação a horários, empréstimo de materiais, trabalho dos funcionários, solicitação de recursos, reserva de salas, agendamentos e calendário paroquial, entre outras coisas. Além das questões práticas e rotineiras, o encontro deve abordar conceitos básicos de liderança – utilize nosso livro como subsídio, por exemplo – e prever momentos de oração e espiritualidade.

5º passo: Volte a ser um bom soldado

Isso implica respeitar a nova forma de trabalho do coordenador que chega e não cair na tentação de se impor, intervir, julgar e opinar o tempo todo. Silenciar um pouco e ter a humildade de se deixar conduzir.

Após liderar seu grupo pastoral durante anos, um líder da nossa comunidade iniciou o processo de sucessão. Contudo, no início, os próprios liderados não acreditavam que havia nele uma verdadeira disposição em dar espaço a uma outra liderança.

Uma pessoa que tinha potencial para sucedê-lo chegou a dizer sarcasticamente: "Duvido que você vá deixar alguém comandar de verdade em seu lugar! Você está à frente do grupo há um bom tempo e as coisas geralmente acontecem do seu jeito! Se alguém assumir, eu tenho certeza de que não vai deixá-lo fazer o que precisa ser feito!"

Mas o processo continuou assim mesmo e quem o sucedeu foi justamente a pessoa mais jovem do grupo, que vem realizando um bom trabalho e não sofreu qualquer tipo de resistência por parte do antigo líder.

Segundo as palavras dele: "Muitas vezes, quero apresentar minha opinião na frente de todos – como estava acostumado a fazer –,

29. A "passagem de bastão" para o novo coordenador

mas procuro tomar o cuidado de conversar a sós com o novo líder quando discordo dele. Assim, não me omito, mas também não causo tumultos nem dou margem para que as pessoas pensem que tento minar a liderança dele ao discordar de alguma coisa".

30
Boas práticas para um líder católico de primeira viagem

Vamos imaginar, agora, uma hipótese diferente. Você não é o líder que está sendo sucedido, mas é alguém que vai assumir uma posição de liderança na Igreja pela primeira vez. Normalmente, em tal situação passa pela cabeça a pergunta: **Por onde começar?** Em primeiro lugar, pode soar como antipático à equipe chegar fazendo imposições ou mudanças logo de cara. Respeite a forma como o grupo está organizado e espere um tempo para implantar ideias de impacto ou lançar novos projetos. Saiba que seu papel central é simplesmente ajudar o grupo a viver seu carisma e cumprir o propósito que lhe dá razão de existir.

1) Procure conhecer os membros do seu grupo

Independentemente de ser grande ou pequeno o grupo que você lidera, procure conhecer todos os participantes. Aprenda o nome de cada um e tente saber um pouco sobre a vida deles. Sempre que possível, tire um tempo para visitá-los pessoalmente.

Evite só agendar encontros na igreja. De vez em quando faça-os num lugar diferente, ou até mesmo na casa de um dos membros.

Quando você vai até a residência das pessoas, passa a conhecer melhor a realidade delas, além de descobrir dons e afinidades potencialmente úteis à Igreja e ao grupo que coordena.

Outra opção é combinar um jantar ou encontro informal para um bate-papo. No final das contas, o objetivo central é conhecer melhor seus liderados e estreitar laços com eles.

2) Apresente-se ao padre

É importante que você também se apresente ao padre. Agende um horário para conversar com ele e saber o que está pensando, o que espera do trabalho realizado pelo grupo que passa a coordenar, se há alguma recomendação especial, que tipo de coisas ele quer que você faça. Promovendo esse tipo de alinhamento com o pároco, você evita "fazer certo as coisas erradas".

3) Demonstre firmeza e segurança

Assuma a postura de líder desde o início. A primeira impressão é a que fica; portanto, as pessoas precisam sentir que você tomou, de fato, as rédeas das coisas e não é um mero fantoche na liderança. As duas primeiras reuniões são muito importantes para quem está começando e vale a pena tomar certos cuidados, pois muito do que for captado pelo grupo nesses dias vai ficar na imagem da sua gestão.

Para conquistar credibilidade, você tem de demonstrar ao seu grupo pastoral que sabe do que está falando e o que está fazendo. Uma coisa é entender de liturgia, outra é saber liderar um grupo de trabalho. O líder deve ter uma visão mais clara e abrangente. A pior coisa é um coordenador inseguro, que fala coisas despropositadas ou toma decisões a esmo, porque não tem conhecimento suficiente ou porque lhe falta humildade em admitir que não sabe do assunto.

4) Seja pontual e dê o exemplo

Seja pontual sempre e exija pontualidade do grupo nas reuniões e compromissos pastorais. Sua liderança começa pelo exemplo e coerência, por isso deve ser a primeira pessoa a cumprir o que foi estabelecido ou combinado. Caso contrário, rapidamente cairá em descrédito e manchará sua reputação como coordenador.

5) Participe de outras esferas da paróquia

Procure integrar-se com outros grupos paroquiais. Entenda que seu trabalho não se resume em apenas coordenar uma equipe específica. A partir de agora, lidera dentro do âmbito paroquial e isso pode requerer a participação em outras esferas, como o próprio Conselho de Pastoral Paroquial, e até de reuniões e encontros diocesanos. A liderança envolve, também, a sua participação e contribuição em celebrações especiais e festas da Igreja.

A incapacidade de alguns grupos religiosos se integrarem à comunidade por se manterem fechados em seus próprios projetos e indiferentes à ação evangelizadora da diocese ou da Igreja, acaba tornando-os, mesmo que inconscientemente, uma bolha na comunidade paroquial, quase que uma igreja paralela, desintegrada do conjunto.

6) Não tenha medo de tomar decisões

Não tema fazer aquilo que é certo depois de observar e entender como funciona o grupo. Há momentos em que você ficará tentado a não agir para evitar desgastes, mas é papel do líder não se omitir nem fugir àquele ônus que só cabe a ele.

Portanto, não se preocupe se nem sempre você conseguir a concordância de todos ou mesmo não conquistar a simpatia do grupo. Passado o período de adaptação, o líder de primeira viagem não pode deixar de fazer aquilo que precisa ser feito. Terá de ser decidido e determinado, caso contrário a liderança não acontece. Péssimos líderes são os que querem ser sempre bonzinhos e amiguinhos de todos e por isso protelam decisões difíceis com receio de serem desaprovados. Importante é você saber que está na direção certa, ter apoio suficiente e ser corajoso para prosseguir.

7) Procure encontrar uma pessoa com quem possa se aconselhar

Exercer a liderança é um grande desafio e pode até tirar o sono de coordenadores mais ansiosos ou inseguros. Por isso, busque alguém com quem se aconselhar nesse início da coordenação e sempre que considerar oportuno. Essa pessoa pode ser o próprio pároco, um membro do grupo mais experiente, ou ainda outra liderança em quem confia e que tem condições de ajudá-lo.

Não há nada de mal em pedir a opinião de outras pessoas, apenas seja cuidadoso e prudente, porque há muita gente boa e santa, mas sem conhecimento e experiência suficientes para orientar em certos assuntos. Partilhar e ouvir são atitudes que poderão ajudá-lo a evitar erros que venham a causar muito mal ao grupo e à sua caminhada evangelizadora.

Mensagem final

O escritor inglês Aldous Huxley certa vez afirmou: "Experiência não é o que acontece com você, mas sim o que você faz com o que acontece com você". Dentro

> "O conhecimento não serve para nada, a não ser que se ponha em prática."
>
> Anton Tchekhov, médico e cientista russo

do contexto do nosso livro, isso significa que não basta ter acumulado novos aprendizados, é necessário que você agora coloque em prática aquilo que sabe que precisa ser feito para crescer.

Para ajudá-lo nessa tarefa, queremos brindá-lo com algumas reflexões que farão com que você organize melhor as ideias que estão passando pela sua cabeça desde que leu as primeiras páginas de "A arte de liderar na Igreja". Vamos a elas:

1) As Escrituras incluem exemplos da reação de Deus à falta de comprometimento. Jesus dizia que era melhor ser quente como o fogo ou frio como o gelo, porque ele lançaria fora quem fosse apenas morno (Ap 3,16). **Você está completamente comprometido com a missão que Deus lhe confiou ou se vê apenas como mero voluntá-**

rio que dedica o tempo que lhe sobra? O que você tem feito para fortalecer seu ardor como discípulo missionário de Jesus?

2) "Quando era menino, falava como menino, sentia como menino, pensava como menino; quando cheguei a ser homem, desisti das coisas próprias de menino" (1Cor 13,11). **Quais atitudes e comportamentos precisa abandonar a partir de hoje para se tornar um líder maduro e confiável aos olhos de Deus e das pessoas?**

3) Infelizmente, muitos líderes trabalham para Deus há um bom tempo sem ainda conhecê-lo de verdade, porque o que os une ao Senhor é a rotina das atividades comunitárias e não o amor. Isso pode levar mais rapidamente ao cansaço, ao esgotamento e ao abandono do trabalho. **Você ama o que faz na Igreja? Ama as pessoas com quem convive e trabalha?**

4) O que mais diferencia líderes empresariais de líderes religiosos é o fato de que estes costumam falar com Deus antes de tomar decisões. **Como anda a sua rotina de oração? Tem rezado o suficiente para cultivar sua intimidade com Deus e obter vigor e sabedoria?**

5) Já notou que a grama que fica em volta do borrifador de água no jardim geralmente é marrom? É que o aparelho direciona sua energia para as partes mais distantes do gramado e a vegetação que está próxima à fonte de água acaba ficando seca. Da mesma forma, podemos descuidar das pessoas que fazem parte do nosso grupo. **Qual o cuidado que você tem tido com seus liderados diretos? O que pretende fazer para estar mais próximo deles?**

6) É comum que a rotina de líderes paroquiais passe pelo preparo e condução de uma reunião periódica e conversas com alguns membros do grupo, mas também é importante reservar um tempo para estudar a Palavra de Deus e tudo mais que seja pertinente à sua área de trabalho pastoral. **Como você pretende se organizar no intuito de reservar tempo para leituras e ampliar seus conhecimentos?**

7) Você prefere ganhar um buquê de flores ou um pacote de sementes? A maior parte das pessoas diante desse dilema opta pelo buquê, mas logo depois percebe as limitações das flores colhidas, que logo murcham e secam, por mais belas que sejam. **Que semeadura você tem feito para formar e desenvolver as pessoas e fortalecer seu grupo pastoral?**

8) Você já viu uma revoada de águias? Possivelmente não, pois águias não voam em bando. Da mesma forma, há líderes que acreditam ser desnecessário andarem próximos uns dos outros e por isso vivem isolados. Contudo, quanto mais a comunidade formar bons líderes e os mantiver unidos, mais forte e missionária ela será. Diante disso, **você cultiva amizades e aproveita encontros com outros coordenadores, diáconos e padres para partilhar e trocar experiências?**

Se você chegou ao final deste livro, já é um bom sinal. Significa que não perde a oportunidade de aprender e conhecer mais, mesmo se já é uma liderança traquejada. Da nossa parte, quisemos apenas prestar um serviço às centenas de milhares de lideranças católicas que existem por este Brasil afora e, admiravelmente, se dedicam às comunidades nas quais estão engajadas sem medir esforços nem sacrifícios, muitas das quais transbordam boa vontade, mas sem um princípio orientador que possa auxiliá-las em seu trabalho, seja ele de cunho administrativo, social ou pastoral.

Se alguma dúvida ficou, ou se precisa de mais algum esclarecimento, contate-nos, por favor! Será um prazer estar ao seu lado na caminhada!

Graça e paz!

Pe. Romão Martins
corpacis@hotmail.com

Wellington Moreira
contato@wellingtonmoreira.com.br

Para saber mais

Acesse **www.lidercatolico.com.br** para conhecer o nosso trabalho de formação e conteúdos complementares sobre alguns dos temas abordados neste livro.

Os autores

Pe. Romão Martins

De família católica e natural de Londrina (PR), onde sempre residiu, até a sua juventude participou da Paróquia Nossa Senhora de Fátima, da Vila Casoni.

Em 1983, sentindo-se chamado à vocação sacerdotal, ingressou no Seminário Xaveriano, na própria cidade, onde iniciou e concluiu o ensino médio. Em 1986 deixou o seminário e, por dois anos, trabalhou no setor administrativo e financeiro de uma rede de supermercados, e por mais três anos como representante comercial de uma indústria alimentícia. Nesse período, participou do Movimento da Juventude Unida em Cristo (MOJUC), da Capela Santa Inês, no qual constituiu uma base de bons amigos, aprofundou sua fé e redescobriu sua vocação sacerdotal.

Em 1991, retornou ao Seminário Xaveriano e foi residir em Campinas (SP), onde trabalhou no setor de cobrança de uma agência bancária. Em 1992, depois de repensar sua afinidade com o carisma da congregação religiosa, transferiu-se para a Arquidiocese de Londrina. Estudou no Instituto Filosófico de Apucarana (IFA) até 1994 e no Instituto Teológico Paulo VI de Londrina, até 1998.

Foi ordenado sacerdote no dia 20 de março de 1999 pelo arcebispo Dom Albano Cavallin, e em seguida nomeado pároco da Paróquia Nossa Senhora da Paz, de Londrina. Do ano 2000 a 2007 foi ecônomo arquidiocesano. Em fevereiro de 2006, foi transferido para a Paróquia Nossa Senhora Auxiliadora, onde permaneceu até 2018. Atualmente, é pároco da Paróquia São Vicente de Paulo, também de Londrina.

Em períodos distintos, foi vigário geral e chanceler da Arquidiocese. Em 2011 concluiu especialização em Cinema e Documentário pela Faculdade Pitágoras. Desde janeiro de 2013 é presidente do Conselho Diretor da Rádio Alvorada de Londrina. Sua ação pastoral, como pároco, tem significativa ênfase bíblica, social e missionária. Com a participação de leigos paroquianos, realizou seis missões nos estados do Mato Grosso, Pará, Amazonas e outras na periferia de Londrina, Cambé e Tamarana.

Wellington Moreira

Nascido em Paranavaí (PR), nos últimos vinte anos esteve à frente de trabalhos pastorais em paróquias da Arquidiocese de Londrina, seja como coordenador de grupos, dirigindo projetos ou exercendo um papel de liderança informal.

Nesse período, também conduziu cursos de formação em paróquias de vários estados brasileiros falando sobre comunicação na liturgia. Trabalho que resultou na obra "Como superar o medo de falar em público na Igreja" publicada em 2004 pela editora O Recado.

Sua experiência com a formação e desenvolvimento de lideranças decorre de uma carreira bem-sucedida como consultor de empresas, tendo conduzido programas de capacitação em companhias de diversos segmentos do mercado. Também escreve para jornais e portais de internet sobre o tema, além de ter publicado três outros livros: "O gerente intermediário" e "Líder tático", pela Editora Qualitymark, e "Como desenvolver líderes de verdade", pela Editora Ideias & Letras.

Quanto à formação acadêmica, concluiu o mestrado em Administração (UEL), um MBA em Gestão de Pessoas (ISAE-FGV), uma especialização em Comunicação Empresarial (UEL) e ainda é bacharel em Direito (UEL).

Há quinze anos é membro da Paróquia Nossa Senhora Auxiliadora, em Londrina, onde está à frente do Programa de Desenvolvimento de Líderes da comunidade. Para conhecer mais sobre ele, acesse www.wellingtonmoreira.com.br.

Encontros de formação

LÍDERCATÓLICO
INSTITUTO DE FORMAÇÃO DE LIDERANÇA PASTORAL

Para agendar palestras, workshops e cursos de formação com os autores em sua comunidade, entre em contato com o Instituto Líder Católico:

(43) 3322-2461
contato@lidercatolico.com.br
www.lidercatolico.com.br
Londrina – PR

Referências bibliográficas

BARRETT, Richard. *O novo paradigma da liderança*. Rio de Janeiro: Ed. Qualitymark, 2014.

CARNEGIE. Dale. *As 5 habilidades essenciais do relacionamento*. São Paulo: Compahia Editora Nacional, 2015.

CÓDIGO DE DIREITO CANÔNICO, promulgado por João Paulo II, papa. Tradução: Conferência Nacional dos Bispos do Brasil. São Paulo: Loyola, 2001.

COVEY, Stephen R. *Os 7 hábitos das pessoas altamente eficazes*. São Paulo: Ed. Best Seller, 2001.

FRANCISCO. *Evangelii Gaudium. A alegria do Evangelho:* sobre o anúncio do Evangelho no mundo atual. São Paulo: Paulinas, 2013.

GENETT, Donna. *O poder de delegar*. São Paulo: Ed. Best Seller, 2011.

GRÜN, Anselm & ASSLÄNDER, Friedrich. *A arte de ser mestre de si mesmo para ser líder de pessoas*. Petrópolis: Ed. Vozes, 2014.

JANZEN, Ernst. *Conflitos na Igreja:* como sobreviver aos conflitos e desenvolver uma cultura de paz. Curitiba: Ed. Esperança, 2015.

MOREIRA, Wellington. *Líder tático*. Rio de Janeiro: Ed. Qualitymark, 2015.

POSNER, Barry & KOUZES, James. *O desafio da liderança*. Rio de Janeiro: Ed. Campus, 2015.

VELLA, Elias. *O líder de fé*. São Paulo: Ed. Palavra & Prece, 2010.